MOI AUSSI
J'ATTENDS UN ENFANT !

le guide du futur papa

MOI AUSSI
J'ATTENDS UN ENFANT !

le guide du futur papa

MOMENTUM

L'édition originale de *Moi aussi, j'attends un enfant* a paru en anglais sous le titre *The Expectant Father* chez Abbeville Press, New York, États-Unis.

Distribution : PROLOGUE
1650, boul. Lionel-Bertrand,
Boisbriand, QC
J7H 1N7
Téléphone :   (450) 434-0306   1-800-363-2864
Télécopieur : (450) 434-4135   1-800-361-8088

© Éditions MOMENTUM

ISBN : 978-2-922787-09-2   (2e édition)

Dépôt légal : 1er trimestre 2008
Bibliothèque nationale du Québec
Bibliothèque du Canada

Imprimé au Canada

À Tirzah et Talya

qui ont embelli le monde
à mes yeux.

A.A.B.

Pour Joe,
Clarke et mes parents,
Clarke et Agnes Ash,
avec mon amour
et mon affection.

J.A.

Remerciements

De nombreuses personnes ont participé à la création de cet ouvrage et toutes méritent notre gratitude. En particulier, j'aimerais remercier David Cohen et Jackie Needleman, Douglas et Rachel Arava pour la vérification attentive du manuscrit et pour leurs commentaires pertinents et leurs suggestions, ainsi que Michael Feiner, Jenny Shy, Matthew et Janice Tannin pour les anecdotes, recettes et conseils qu'ils m'ont fournis.

Merci aussi à Jackie Decter pour ses avis éclairés et sa compétence en édition, à Jim Levine et Arielle Eckstut pour m'avoir accordé une pleine attention au moment voulu, et en particulier à Jennifer Ash, dont les idées ont rendu possible la réalisation de cet ouvrage.

Mais mon plus grand merci s'adresse avant tout à ma femme, Andrea Adam Brott, qui a relu chacun de mes projets, m'a aidé à polir mes idées (tout en y ajoutant les siennes), et même s'est amusée de l'ironie de la situation qui nous a fait engager une garde d'enfants pour me donner le temps d'écrire un livre sur la façon dont les hommes devraient s'occuper davantage de leurs enfants. Sans l'amour d'Andrea, sans ses encouragements et son soutien, ce livre n'existerait pas et je n'aurais jamais été capable de jouir du type de relation que j'ai maintenant avec mes enfants.

Armin A. Brott

*E*n attendant la naissance de notre premier enfant, je m'étais promis de lire tout ce qui s'était écrit sur la grossesse et la maternité. Il m'est vite apparu que neuf mois n'étaient guère suffisants pour parcourir toute la gamme d'ouvrages destinés aux futures mères. Pendant ce temps, la table de nuit de mon mari demeurait vide, non par manque d'intérêt de sa part, mais par manque de documentation. Joe, merci de tout cœur pour m'avoir convaincue que les hommes désirent vraiment en savoir plus sur la grossesse et m'avoir donc encouragée à m'engager dans ce projet. Je remercie aussi mes frères, Eric et Jim, et les nombreux amis qui ont franchement discuté des perspectives de la paternité et ont apporté des suggestions très utiles. Les conseils de Virginia Webb et d'Esther Williams concernant les nouveau-nés ont aussi été de grande valeur.

Ma sincère gratitude va également à tous ceux d'Abbeville, et tout particulièrement à Alan Mirken, qui ont soutenu ce projet dès la première heure. L'enthousiasme de Bob Abrams et de Mark Magowan a maintenu l'ouvrage sur les rails. Jackie Decter l'a prestement amené à sa réalisation et son amitié m'a apporté la joie pendant tout ce travail. Merci à Armin Brott d'avoir accepté d'apporter son talent de conteur, ce qui a insufflé un caractère viril à cet ouvrage. Laura Strauss a permis d'y inclure les dessins, et la conceptrice Celia Fuller a insufflé vie et intelligence à l'ensemble.

Jennifer Ash

Table des matières

Introduction

Lorsqu'en juillet 1989, ma femme et moi avons appris que nous allions avoir un bébé, je me suis senti le plus heureux des hommes. Cette grossesse, l'accouchement et la naissance de notre première fille ont été pour nous un temps d'incroyable intimité, de tendresse et de passion. Longtemps avant de nous marier, nous avions décidé de partager équitablement la tâche d'élever nos enfants. Il paraissait tout naturel que cet engagement couvre aussi la période de la grossesse.

Comme ni l'un ni l'autre n'avions eu d'enfants auparavant, nous étions assez mal préparés à cette aventure. Heureusement pour ma femme, il existait des centaines de livres ayant pour mission de préparer, d'encourager, d'aider et de réconforter les femmes enceintes au cours de leur grossesse. Toutefois, lorsque j'ai constaté que moi aussi j'étais dans l'attente de l'événement, et que celui-ci suscitait en moi des sensations et des sentiments entièrement nouveaux, il m'a été impossible de trouver un seul ouvrage qui puisse m'apporter le soutien dont j'avais besoin. J'ai cherché des réponses à mes interrogations dans les livres spécialisés de la vaste bibliothèque de ma femme, mais d'informations concernant les épreuves qui attendent les futurs pères, nulle trace, tout au plus quelques vagues indications sur la façon dont ces derniers pouvaient soutenir et épauler leur compagne enceinte. Pour couronner le tout, comme ma femme et moi étions, parmi notre groupe d'amis, le premier couple à aborder cette nouvelle phase de vie, je n'ai trouvé personne à qui parler de mes problèmes, personne qui puisse me rassurer en m'affirmant que ce que je pouvais ressentir était tout à fait normal.

Jusqu'à très récemment, les études n'étaient guère légion qui traitaient des épreuves émotionnelles et psychologiques par lesquelles passent les pères en devenir au cours de la période de grossesse. Le titre exact de l'un des premiers articles publiés sur le sujet vous donnera quelque idée de l'attitude du monde des médecins et des psychiatres concernant le contrecoup de la grossesse sur l'homme. Écrit par le Dr William H. Wainwright et publié dans le numéro de juillet 1966 de l'*American Journal of Psychatry*, cet article s'intitulait: *Fatherhood as a Precipitant of Mental Illness* (La paternité comme catalyseur de maladie mentale).

On le verra plus loin, l'expérience d'un homme au cours de sa métamorphose en nouveau père ne se borne pas à l'enthousiasme béat – ni à la maladie mentale; si tel était le cas, cet ouvrage n'aurait jamais été écrit. En réalité, sa réponse émotionnelle à l'attente de l'événement n'est pas moins diversifiée que celle de la femme; les futurs pères aussi ressentent tout, du soulagement au refus, de la crainte à la frustration, de l'angoisse à la joie. Et beaucoup d'hommes éprouvent également des symptômes de grossesse (on trouvera plus de détails à ce sujet aux pages 72 à 75).

Pourquoi donc la paternité n'a-t-elle pas fait l'objet de plus d'attention jusqu'à présent? À mon sens, c'est parce que la société occidentale valorise davantage la maternité et qu'automatiquement nous considérons les questions de la naissance et de l'éducation des enfants comme étant du ressort des femmes. Pourtant, la réalité est tout autre. Vous l'apprendrez en lisant ces pages ainsi que par votre propre expérience.

Qui est le véritable auteur de ce livre ?

Lorsque Jennifer Ash m'a approché en vue d'une collaboration à la rédaction de ce livre, nous avons choisi pour objectif commun de vous aider à saisir le sens des étapes par lesquelles vous passerez au cours de la période de grossesse. Cet objectif est important, mais il dépend surtout et avant tout de votre compagne : il *faut* évidemment qu'elle soit enceinte. Bien comprendre la façon dont votre compagne vit sa situation – sur les plans émotionnel et physique – est essentiel pour y adapter votre comportement. C'est ce point de vue qu'apporte en particulier Jennifer, dont le fils est né quelques jours après notre seconde fille. Au cours de notre collaboration, sa contribution précieuse s'est manifestée sous forme d'informations et de commentaires, non seulement au sujet des expériences que connaissent les femmes enceintes, mais aussi sur la façon dont les femmes souhaitent voir les hommes se comporter dans ces circonstances.

La structure de l'ouvrage

Dans ces pages, Jennifer et moi nous sommes efforcés de présenter sans ambiguïté une série d'informations pratiques et aisément assimilables. Chacun des principaux chapitres est divisé en quatre sections :

L'état de votre compagne

Bien que nous nous efforcions de vous expliquer tout ce par quoi vous passez ou passerez comme futur père, il nous paraît important de résumer aussi l'expérience physique et émotionnelle de votre compagne pendant la gestation.

L'état du bébé

Cette section vous initiera aux progrès du bébé, depuis la rencontre du spermatozoïde et de l'ovule jusqu'à l'entrée de votre poupon dans le monde.

Et vous dans tout cela?

Cette partie du chapitre passe en revue toute la gamme des sentiments, du meilleur au pire, qui vous envahiront à un moment ou à un autre de la grossesse. Elle décrit aussi les transformations *physiques* que vous subirez et les aspects de votre vie sexuelle affectés par la situation nouvelle.

Ce que vous pouvez faire

Tandis que la section précédente concerne le côté émotionnel et physique de la période de gestation que vous vivez, celle qui suit renferme des avis, des suggestions et des conseils relatifs aux dispositions à prendre pour faire de cette grossesse aussi bien la vôtre que celle de votre compagne. Vous y trouverez par exemple des recettes culinaires faciles à préparer, des idées sur la manière de constituer un fonds d'études pour votre enfant, des conseils sur la mise en pratique des cours préparatoires à l'accouchement et des suggestions en vue d'aider votre compagne et de contribuer activement aux différentes phases de la grossesse.

L'ouvrage couvre plus que les neuf mois de gestation. Nous avons notamment consacré un chapitre entier au travail et à l'accouchement lui-même et un autre à la césarienne, afin de vous permettre de mieux comprendre ce qui se passe et de pouvoir assister votre compagne en toutes circonstances. Plus encore, ces chapitres vous préparent à supporter les émotions intenses que vous ressentirez lorsque votre compagne sera dans la période de travail ou sur le point de mettre l'enfant au monde.

Nous avons consacré un chapitre aux questions essentielles concernant les soins et l'affection à prodiguer à l'enfant une fois rentrés chez vous. Enfin un chapitre intitulé : « Être père de nos jours » vous apprendra à déceler et à surmonter les multiples obstacles que les pères doivent affronter de nos jours.

Au cours de votre lecture, rappelez-vous que chacun apporte avec soi un bagage mental différent face à cette période de grossesse, et que nous ne réagissons pas tous de manière identique à une situation donnée. Il se peut que certains des sentiments décrits dans la section intitulée « Et vous dans tout cela ? » du chapitre relatif au troisième mois ne vous paraîtront vrais, dans votre cas, qu'au cours du cinquième mois, ou que vous les avez déjà peut-être éprouvés dès le premier mois. Si vous souhaitez tester certaines des idées ou activités suggérées dans la section « Ce que vous pouvez faire » en suivant un ordre différent, sentez-vous évidemment libre de le faire.

Un mot sur la terminologie utilisée

Épouse, conjointe, partenaire, compagne...

Dans le souci de ne blesser personne (une façon de faire qui finit par offenser tout le monde), nous avons résolu de désigner, dans cet ouvrage, la femme qui porte le bébé par « votre compagne ».

Hôpitaux, médecins...

Nous avons conscience que les accouchements n'ont pas toujours lieu en milieu hospitalier ni avec l'assistance d'un médecin. Cependant, comme c'est le cas le plus fréquent, nous avons convenu de désigner par « hôpital » l'endroit où le bébé verra le jour et par « médecin, infirmière, sage-femme ou personnel hospitalier » les personnes appelées à assister la naissance.

En règle générale, les pères actuels (autant d'ailleurs que les futurs pères) souhaitent s'engager vis-à-vis des enfants bien plus intimement que leurs propres pères ne le faisaient. Nous sommes convaincus que le premier pas, dans ce but, consiste à assumer un rôle actif au cours de la grossesse. Nous espérons qu'après avoir lu *Moi aussi, j'attends un enfant!* ce livre que Jennifer, enceinte, aurait souhaité offrir à son mari et dont j'aurais voulu moi-même bénéficier en temps et lieu, vous serez mieux préparé à jouer un rôle actif au cours de cet épisode important de votre vie.

Les premières décisions

*L*es toutes premières questions importantes que votre couple devra résoudre après avoir appris que vous attendez un bébé sont : où la naissance aura-t-elle lieu ? quel praticien choisir ? Jusqu'à un certain point, les réponses découleront des normes en vigueur pour l'assurance-maladie, mais une série de choix resteront cependant à faire.

Où et comment ?

Naissance à l'hôpital

Pour la plupart des futures mamans, et en particulier pour une première naissance, l'hôpital ou la clinique ont souvent la préférence. C'est aussi l'option la plus sécuritaire. Dans le cas d'ailleurs peu probable de complications, la plupart des établissements hospitaliers ont en permanence à leur disposition les spécialistes, l'équipement et les médicaments nécessaires. En outre, dans la presse des premiers moments qui suivent l'accouchement, le personnel infirmier de service surveille l'enfant et la mère et peut conseiller les nouveaux parents à l'occasion des nombreux problèmes qui se posent. Le personnel est aussi très utile lorsqu'il s'agit d'éconduire aimablement les visiteurs importuns.

Beaucoup d'hôpitaux disposent de salles de travail et d'accouchement agréablement aménagées dans le style d'une chambre à coucher. Le décor confortable est destiné à vous mettre à l'aise, vous et votre compagne. Toutefois, les infirmières qui vont et viennent sans arrêt, les tables chargées d'appareils compliqués et les armoires pleines de linges stériles vous rappelleront vite la véritable nature du lieu.

Accoucher à domicile

Avec toutes ses techniques raffinées et son ambiance rigide, impersonnelle et aseptisée, un séjour à l'hôpital ne plaît pas à tout le monde. Si vous ne vous y sentez pas à l'aise et si vous n'avez pas de raison d'anticiper des complications pendant la grossesse, l'accouchement à domicile pourrait être un choix fort attrayant.

Cependant, préparez-vous aux conséquences. Depuis très récemment, l'assurance maladie du Québec ne couvre plus les frais d'accouchement à domicile. Cependant, un projet de loi est à l'étude en ce moment avec pour objectif de rétablir cette modalité. En tout état de cause, accoucher chez soi est très différent de ce que laissent entrevoir les anciens westerns : il faudra beaucoup plus que quelques linges propres et une bouilloire d'eau.

À l'époque de la naissance de notre seconde fille, aux États-Unis, ma femme et moi avions projeté un accouchement à domicile mais, à la fin du compte, nous y avons renoncé. Bien que je ne me considère pas particulièrement

Les risques de l'accouchement à domicile

Sans compter que, selon les dernières dispositions légales, vous ne bénéficierez pas de l'aide de personnel qualifié, certains problèmes particuliers à la grossesse peuvent rendre l'accouchement à domicile particulièrement dangereux. Si votre compagne manifeste par exemple des symptômes de prééclampsie, ou forme d'hypertension provoquée par la grossesse, accident très rare, mais qui peut entraîner de graves complications s'il n'est pas diagnostiqué et traité à temps, ou si les contractions se déclenchent prématurément, ou si l'on découvre que le bébé se présente par le siège, ou encore s'il semble que vous serez le père de jumeaux (sinon de triplés), vous préférerez sans doute reconsidérer votre choix et opter pour l'hôpital ou une maison de naissance.

Vous souhaiterez peut-être aussi revoir votre décision si votre compagne souffre de diabète ou d'une faiblesse cardiaque ou rénale, ou si elle a fait des hémorragies lors de grossesses précédentes (une transfusion immédiate peut être administrée à l'hôpital), si elle a dû précédemment subir une césarienne ou si elle est une fumeuse chronique. Bien que beaucoup de femmes souffrant de tels symptômes aient normalement accouché chez elles de bébés parfaitement sains, les possibilités de complications sont réelles et vous devez tous deux vous assurer que l'accouchement ait lieu dans les conditions les plus **sûres** possible.

délicat, je ne pouvais concevoir ce que serait l'état du tapis de la chambre après coup. Pourtant, ce qui nous a fait changer d'idée a été le fait que la naissance de notre premier enfant avait exigé d'urgence une césarienne. Craignant une récidive, nous avons préféré rester à proximité immédiate des médecins.

Accouchement naturel ou sous médication

Ces dernières années, l'accouchement naturel, c'est-à-dire sans médication, ni analgésique, ni autre intervention de la médecine, est généralement tenu pour préférable à toute autre méthode. Mais qu'il soit souvent conseillé ne signifie pas qu'il convienne à tous les cas. Le travail préliminaire à l'accouchement et l'accouchement lui-même sont des expériences douloureuses pour l'un comme pour l'autre des conjoints, et beaucoup de couples préfèrent bénéficier des progrès de la science médicale pour soulager les douleurs et l'inconfort d'un accouchement.

Adaptez-vous aux circonstances. Peut-être avez-vous songé à un accouchement naturel, mais des aléas peuvent survenir et requérir une intervention chirurgicale ou l'usage de médicaments (voir les pages 206 et 207). Par contre, peut-être aurez-vous prévu un accouchement sous médication mais, le moment venu, vous vous retrouvez bloqués quelque part, loin de votre hôpital et dépourvus de tout analgésique.

Qui présidera à l'accouchement?

À première vue, il paraît normal que votre compagne choisisse elle-même son médecin. Après tout, c'est elle qui sera en première ligne à mesure que la grossesse progressera.

Mais, si l'on tient compte du fait que quatre-vingt-dix pour cent des futurs pères participent à la naissance de leur enfant, et que la grande majorité d'entre eux se sont réellement préoccupés des problèmes relatifs à la grossesse, il est probable que vous passerez aussi de longs moments en présence du médecin. Autant que possible, vous devriez donc pouvoir adhérer sans réserve au choix de votre compagne.

L'obstétricien privé

Si votre compagne a plus de vingt ans, il est probable qu'elle consulte un gynécologue depuis quelques années déjà. Comme beaucoup de ces spécialistes sont également obstétriciens, il n'est pas surprenant que la plupart des couples choisissent leur gynécologue comme obstétricien chargé d'assister l'arrivée de Bébé en ce monde.

Veillez à prendre contact avec les autres gynécologues-obstétriciens du cabinet pour le cas où le vôtre ne serait pas disponible le moment venu. Le travail et la délivrance seront déjà suffisamment stressants sans devoir en plus les confier à un médecin inconnu.

La sage-femme

Même si votre compagne a déjà eu recours à un obstétricien, vous voudrez peut-être confier la mise au monde de votre enfant à une sage-femme. Les sages-femmes sont spécialement formées pour accompagner les futures mamans pendant le travail et au moment de l'accouchement. Grâce à ces qualifications, beaucoup de sages-femmes, qui sont souvent en même temps infirmières diplômées, ont plus d'expérience pratique des accouchements que les obstétriciens.

Bien que les sages-femmes ne soient pas en aussi grand nombre au Québec qu'en Europe, leur réputation va croissant. Officiellement, votre compagne demeure toutefois sous la responsabilité du médecin dont les honoraires sont couverts par l'assurance maladie. C'est aussi le cas des sages-femmes. Il faut cependant se rappeler que ces dernières ne sont généralement pas formées pour traiter les complications éventuelles et doivent rapporter de tels cas à un médecin.

Beaucoup de provinces réglementent strictement le rôle des sages-femmes et souvent celles-ci ne peuvent pratiquer l'accouchement proprement dit. Si vous vous proposez de recourir à une sage-femme, le CLSC de votre région peut vous mettre en contact avec l'une d'elles et vous informer des règlements applicables en la matière.

L'histoire vécue de Michelle, à la page 267, en est une illustration.

Questions à poser au futur accoucheur

Avant de faire votre choix final concernant le ou la spécialiste qui sera en charge de l'accouchement, il serait souhaitable d'obtenir des réponses aux questions suivantes :

AU GYNÉCOLOGUE-OBSTÉTRICIEN

- Permettez-vous à des membres de la famille ou de l'entourage d'assister à l'accouchement?
- Recommandez-vous l'une ou l'autre des méthodes de préparation à l'accouchement (Lamaze, Bradley, ou autre)?

- Dans quel hôpital aura lieu l'accouchement?
- Combien d'échographies prescrivez-vous en temps normal?
- Pratiquez-vous vous-même l'amniocentèse?
- Autoriseriez-vous le père à assister à une césarienne?
- Quelle est votre opinion au sujet de l'accouchement provoqué?
- Pratiquez-vous habituellement l'épisiotomie?
- Appliquez-vous habituellement la succion du bébé par ventouse pendant l'accouchement?

À LA SAGE-FEMME

- Combien d'accouchements avez-vous déjà pratiqués?
- À quelle maison de naissance êtes-vous associée?
- Pour la seconde partie du travail, quelle position adoptent de préférence les femmes que vous accouchez?

AU GYNÉCOLOGUE-OBSTÉTRICIEN ET À LA SAGE-FEMME

- Seriez-vous disposé ou disposée à attendre que le cordon ombilical ait cessé de battre avant de le clamper?
- Le bébé peut-il être mis au sein immédiatement après sa naissance?

Médecin de famille

Votre médecin de famille a probablement pratiqué plusieurs accouchements dans sa vie. Mais comme l'obstétrique n'est pas le souci principal d'un médecin généraliste, il ou elle ne connaît pas le personnel et la routine de l'hôpital aussi bien que l'obstétricien dont le cabinet est à deux pas et qui fait trois accouchements par semaine. De plus, aux États-Unis, beaucoup d'hôpitaux n'autorisent que les médecins et sages-femmes « reconnus » à admettre des patients dans leur maternité.

Néanmoins, si votre médecin a accouché des personnes de votre famille et si vous souhaitez qu'il ou elle accouche votre compagne, il est sans doute possible de prendre les arrangements adéquats. Si vous optez pour cette façon de faire, votre médecin vérifiera si un spécialiste peut être rejoint facilement au cas où ce serait nécessaire...

Le temps de l'inexpérience

L'état de votre compagne

Physiquement

- Nausées matinales, vomissements
- Envie ou dégoût irraisonnés de certains aliments
- Céphalées
- Lassitude
- Modification des seins : gonflement, élargissement

Émotivement

- Tressaille d'émotion à l'idée d'être enceinte
- Elle tend à se rapprocher davantage de vous
- Appréhensions au sujet des neuf mois à venir
- Sautes d'humeur et crises de larmes irraisonnées

L'état du bébé

Ce sera un premier mois très occupé. Quelque deux heures après les relations sexuelles, l'ovule est fertilisé et un jour plus tard environ, naît un petit amas de cellules qui se divisent rapidement. À la fin du mois, l'embryon mesurera déjà de cinq à six millimètres de longueur et aura un cœur ainsi que l'amorce des bras et des jambes mais pas encore de cerveau.

Les nausées matinales

La moitié des femmes enceintes souffrent de nausées matinales. Les nausées, les aigreurs d'estomac et les vomissements traditionnellement associés à la période matinale du jour peuvent cependant survenir à tout moment. Heureusement, chez la plupart des femmes sujettes à ces malaises, ceux-ci disparaissent après le troisième mois. Jusque-là, voici quelques conseils qui vous permettront d'aider votre compagne à en supporter les inconvénients :

- Aidez-la à suivre un régime riche en protéines et en hydrates de carbone.

- Encouragez-la à boire beaucoup, spécialement du lait. Mesure utile : posez au chevet du lit une grande carafe d'eau. Elle devrait aussi éviter la caféine, qui tend à déshydrater.

- Écartez d'elle tout objet ou toute source d'odeur susceptibles de provoquer des nausées.

- Incitez-la à consommer nombre de petits repas par jour et à manger avant de ressentir la nausée. Elle pourrait par exemple prendre des aliments de base comme le yaourt, qui entraînent moins de nausées que les matières grasses.

- Veillez à ce qu'elle prenne des vitamines prénatales.

- Disposez à portée du lit quelques amuse-gueule à faible teneur en graisses et en calories ; elle ressentira le besoin de grignoter au début et à la fin de la journée.

> • Sachez qu'il lui faudra beaucoup de repos et encouragez-la dans ce sens.

Et vous dans tout cela ?

Émotions

J'ai conservé la robe de chambre blanche que je portais ce matin-là, lorsque nous avons découvert que nous allions, pour la première fois, avoir un enfant. Je me tenais nerveusement dans la cuisine, où le dessus du guéridon portait les fioles colorées contenant poudres et liquides, un compte-gouttes, ainsi que le petit pot contenant « l'urine du matin » de ma femme. En 1989 encore, la trousse de détection d'une grossesse était bien plus encombrante qu'aujourd'hui. Comme un prix Nobel de chimie au moment d'une importante découverte qui allait bouleverser le monde entier, j'ai laissé tomber avec précaution quelques gouttes de l'urine dans la poudre de l'un des pots. Je les ai mélangés soigneusement au moyen d'une petite spatule que j'ai ensuite rincée avec minutie puis, lentement, j'ai ajouté le contenu de l'autre fiole.

À vrai dire, le résultat obtenu une vingtaine de minutes plus tard n'a pas été une surprise, mais il a toutefois provoqué une profonde émotion. J'avais toujours souhaité avoir des enfants et, soudainement, il semblait que mes rêves étaient sur le point de se réaliser.

Soulagement... et fierté

En même temps, j'étais rempli d'un sentiment incroyable de soulagement. Secrètement, j'avais toujours craint d'être stérile et de devoir me contenter d'emmener un jour les enfants de quelqu'un d'autre au cirque ou au base-ball. Un sentiment de fierté m'inondait aussi. Après tout, j'étais un homme, entièrement fonctionnel, et comment donc ! En ayant rendu ma femme enceinte, j'étais en quelque sorte arrivé au summum de mes capacités viriles.

Craintes irraisonnées

À un certain moment, après la période initiale d'excitation et de soulagement, un nombre étonnamment élevé d'hommes se surprennent à craindre que l'enfant porté par leur compagne ne soit pas le leur. Jerrold Lee Shapiro, un psychologue, a interrogé plus de deux cents hommes dont la compagne était enceinte et a découvert que soixante pour cent d'entre eux « reconnaissaient avoir eu des pensées fugaces ou contrariantes, des fantasmes suggérant qu'ils pourraient ne pas être le père biologique de l'enfant. » La plupart de ces hommes ne croient pas réellement que leur compagne ait pu avoir des relations coupables. Plutôt, écrit Shapiro, les idées évoquées ne sont que des symptômes d'un sentiment fréquent d'insécurité : le doute éprouvé par beaucoup d'hommes d'être capables de réaliser des choses aussi incroyables que créer la vie, et le sentiment que quelqu'un d'autre, plus puissant, a dû intervenir à ce propos.

Ce que vous pouvez faire

L'exercice

Si votre compagne faisait déjà régulièrement de l'exercice avant sa grossesse, elle n'aura besoin d'aucun encouragement pour poursuivre cette pratique et, pourvu que le médecin l'approuve, elle pourra probablement continuer sa routine habituelle d'exercices physiques. Certains clubs de santé demandent cependant aux femmes enceintes une attestation en ce sens du médecin traitant.

Si elle ne faisait pas d'exercice avant la période de grossesse, le moment serait mal choisi pour elle de s'initier aux plaisirs de l'alpinisme ! Cela ne signifie pas qu'elle doive passer sa grossesse sur un sofa. Il est indispensable de faire un peu d'exercice. Celui-ci améliore la circulation et, de ce fait, permet au bébé de recevoir son apport adéquat de flux sanguin. Il contribue aussi à maintenir le niveau d'énergie à un point suffisamment élevé. Une bonne façon d'aider votre compagne à faire les exercices nécessaires est de vous y livrer en sa compagnie. L'essentiel est de commencer progressivement et de ne pas forcer la note si vous vous apercevez qu'elle est fatiguée ou essoufflée.

Si votre budget ne vous permet pas de vous inscrire à un club de santé, pensez aux cours de gymnastique prénatale, qui représentent une alternative moins coûteuse. On trouve aussi sur le marché nombre de vidéocassettes ayant pour objectif de vous apporter à domicile les conseils adéquats.

Exercices à proscrire
Les sports violents.

Il y a beaucoup de controverse concernant une possible relation de cause à effet entre une chute et l'apparition d'une fausse couche. Le Dr Robert Bradley, qui a mis au monde plus de 30 000 bébés, prétend qu'il n'a jamais connu de cas « où la mère aurait causé un tort à son enfant à la suite d'un traumatisme externe survenu au cours de sa grossesse ». Il n'en reste pas moins que toute activité violente devrait être évitée.

La plongée sous-marine et le ski nautique.

Par la pratique de ces sports, de l'eau pourrait être injectée à pression élevée dans l'utérus, via le vagin et le col de l'utérus.

Le ski.

Sauf si votre compagne est une skieuse experte, et même dans ce cas, soyez prudents. Ma femme a pratiqué le ski jusqu'au septième mois de sa grossesse, mais a soigneusement évité les pistes difficiles où les risques de chute n'étaient pas négligeables.

Les bains chauds, bains de vapeur et saunas.

La recherche indique qu'élever la température du corps d'une femme enceinte de plus d'un degré Celsius (deux degrés Farenheit) peut être dangereux pour le fœtus. Pour se refroidir, le corps fait refluer le sang des organes – y compris l'utérus – vers la peau.

Exercices et sports à pratiquer ensemble

- Marche rapide
- Natation
- Tennis en amateur
- Haltérophilie légère
- Golf

- Yoga
- Tennis de table

Avant de commencer toute espèce d'exercice, prenez l'avis de votre praticien et conformez-vous-y.

Le régime alimentaire

Les principes nutritionnels n'ont pas évolué beaucoup depuis l'époque où l'on vous parlait des quatre groupes de l'alimentation de base, ou si vous êtes plus jeune, de la pyramide alimentaire. Quoi qu'il en soit, maintenant qu'elle est enceinte, votre compagne aura besoin d'un supplément de quelque 300 calories par jour. Bien entendu, si d'avance elle est trop frêle ou si elle attend des jumeaux, il lui en faudrait un peu plus encore. En revanche, si elle avait déjà un excédent de poids avant d'être enceinte, ce n'est certainement pas maintenant qu'elle devrait entreprendre un régime amaigrissant. Toutefois, le fait qu'elle « mange pour deux » ne peut être une excuse pour consommer tout ce qu'elle veut. Votre spécialiste lui conseillera sans doute de suivre un régime, mais voici déjà quelques indications de base à garder à l'esprit.

LES PROTÉINES

En moyenne, la femme doit consommer 45 grammes de protéines par jour, mais votre compagne, enceinte, devrait en absorber journellement de 75 à 100 grammes. Lorsque le fœtus est âgé de huit semaines, son cerveau possède environ 125 000 neurones. À la fin de la dix-neuvième semaine, il en aura quelque 20 milliards, le maximum dont il disposera. L'obstétricien F. René Van de Carr a constaté qu'un régime riche en protéines, particulièrement pendant les premières dix-neuf semaines de grossesse, favorise cette croissance explosive des cellules nerveuses chez le fœtus. Des protéines maigres constituent le meilleur choix. De bonnes sources de ces protéines se trouvent dans le poulet sans sa peau, les viandes et les fromages maigres ainsi que le poisson bouilli. Les œufs – évitez les œufs crus – sont également une excellente source de protéines ; les œufs durs se transportent aisément et composent une excellente collation et un parfait en-cas.

LE FER

Si votre compagne ne prend pas suffisamment de fer, elle risque de devenir anémique et de se sentir fatiguée. Les épinards, les fruits secs, la viande de bœuf et les légumes sont autant d'excellentes sources de fer, mais comme la plupart de la consommation de fer de la femme enceinte est utilisée pour produire le sang du fœtus, son organisme pourrait en réclamer davantage. Dans ce cas, le médecin lui en prescrira sous forme de suppléments en vente libre dans les pharmacies. L'idéal est de les prendre avec un verre de jus d'orange qui en favorisera l'absorption. Attention ! les suppléments de fer sont fréquemment cause de constipation.

LES AGRUMES ET AUTRES SOURCES DE VITAMINE C

La vitamine C est indispensable au corps pour la production de collagène, cette substance protéique qui maintient la cohésion des tissus. Elle favorise également le développement des os et des dents du bébé. Une carence en vitamine C pourrait affaiblir l'utérus de votre compagne, augmentant les risques d'accouchement laborieux. Elle devrait prendre au moins deux rations de citron ou d'autres agrumes par jour.

LE CALCIUM

Le calcium est indispensable à la formation des os du bébé. Comme une grande part du calcium ingéré est absorbé directement par le bébé, votre compagne devra veiller à ce qu'il en reste assez pour elle-même. La meilleure source de calcium se trouve dans le lait et les laitages. Toutefois, en cas d'allergie aux produits laitiers, elle devrait éviter ceux-ci, car si elle prévoit l'allaitement au sein, l'allergie risque d'être transmise au bébé. D'autres excellentes sources de calcium sont constituées par le saumon rose, mis en boîte avec les arêtes, le tofu ou lait de soya caillé, le brocoli, le jus d'orange additionné de calcium, les œufs et les comprimés de calcium à base de poudre de coquilles d'huîtres.

LES LÉGUMES VERTS ET LES LÉGUMES JAUNES

En plus d'être très utiles dans la formation des cellules rouges du sang, les légumes verts et jaunes (qui, étrangement, comprennent aussi les cantaloups et les mangues) sont d'excellentes sources de vitamines A et B, vitamines qui aideront l'organisme de votre compagne à profiter pleinement des protéines supplémentaires qu'elle va prendre. La vitamine A peut aussi protéger la vessie et les reins des infections qui les menacent. Plus foncé est le vert, plus utile est le légume. Votre compagne devrait s'efforcer de consommer une à deux rations de ces légumes par jour.

CÉRÉALES ET AUTRES COMPOSÉS HYDROCARBONÉS

Les céréales et leurs dérivés, tel le pain, sont le combustible par excellence pour l'organisme de votre compagne qui devrait en prendre quatre rations par jour. Comme son organisme utilise ce combustible par priorité en cas de pénurie, il risque de ne pas en rester assez pour le bébé. Les céréales sont généralement pauvres en calories, mais leur teneur en zinc, en sélénium, en chrome et en magnésium, tous éléments essentiels, est élevée. De plus, elles sont riches en fibres qui combattent la constipation causée par les suppléments de fer. De bonnes sources de fibres sont fournies par le pain complet (évitez le pain blanc pendant quelques mois), le riz brun, les pommes de terre fraîches, les pois et les haricots secs.

À proscrire

La cigarette

Lorsqu'une femme enceinte « avale » la fumée de cigarette, son utérus s'engorge de monoxyde de carbone, de nicotine, de goudrons et d'autres substances qui s'opposent à l'apport d'oxygène et d'éléments nutritifs au bébé. Fumer accroît les risques de mettre au monde un bébé malingre ou de faire une fausse couche.

L'alcool

L'abstinence totale est l'option la plus sûre, bien que votre praticien puisse autoriser votre compagne à prendre un verre de vin de temps en temps pour l'aider à se relaxer. Une cuite ou même quelques verres pris au mauvais moment, par exemple lors du développement du cerveau, peuvent causer au fœtus des dommages physiques et mentaux irréversibles.

Même la consommation modérée d'alcool à l'occasion de cocktails a été rendue responsable de malformations et de déficiences mentales du bébé, ainsi que de fausse couche dans les premiers mois de la grossesse.

Le jeûne

Sans l'accord formel du médecin, votre compagne ne devrait jamais rester vingt-quatre heures sans manger, surtout pendant les dix-neuf premières semaines de la gestation, au moment où le cerveau de l'enfant est en cours de développement.

Médicaments divers

Il faudrait prendre l'avis du médecin avant de prendre un quelconque médicament, y compris aspirine, ibuprofène et remèdes contre les refroidissements, en particulier ceux qui renferment de la caféine ou de la codéine.

Drogues illégales et drogues douces

Il est indispensable de s'abstenir de toute drogue pendant la grossesse. L'enfant pourrait être intoxiqué dès la naissance.

Viandes et poissons crus

Les viandes et les poissons crus peuvent contenir des toxoplasma gondii, parasites qui peuvent provoquer la cécité chez le fœtus ou des dommages irréversibles à son système nerveux. Mais les avis ne sont pas unanimes chez les experts quant à l'importance du risque. Le premier obstétricien-gynécologue de ma femme était japonais ; il ne s'est jamais inquiété de savoir si ma femme enceinte consommait ou non du sushi.

Excréments de chats

Bien que les excréments de chats n'aient pas de lien direct avec la nutrition, il faut savoir qu'ils contiennent de grandes quantités du même parasite trouvé dans les viandes crues. Si donc vous avez un chat, c'est vous qui devrez vous charger d'en nettoyer la litière pendant toute la durée de la grossesse.

Insecticides, herbicides et autres produits analogues

L'exposition prolongée et répétée à ces produits toxiques pourrait entraîner des malformations de naissance. Après avoir nettoyé la litière du chat, chargez-vous aussi du jardinage. Tant que vous y êtes, méfiez-vous aussi des engrais et des pesticides.

Teintures pour cheveux

Bien qu'aucune relation n'ait été prouvée entre un défaut à la naissance et l'usage de teintures pour cheveux, les composants chimiques des teintures peuvent être transférés au flux sanguin via le cuir chevelu. Il est donc recommandable d'éviter de se teindre les cheveux avec de tels produits pendant la grossesse. Les teintures végétales exemptes de composants chimiques peuvent constituer une alternative. Elles ne durent pas aussi longtemps, mais sont aussi jolies sinon plus belles et certainement moins artificielles que leurs concurrentes chimiques.

L'EAU

Comme si elle n'avait pas déjà assez de choses à faire, votre compagne devrait encore s'efforcer de boire deux litres d'eau par jour. Cette eau remplacera l'eau perdue par transpiration (on transpire plus pendant la grossesse) et contribuera aussi à éliminer toxines et déchets.

LES GRAISSES

Votre compagne trouvera la plus grande partie des graisses dont elle a besoin dans les autres aliments qu'elle prend normalement. Il est de loin préférable qu'elle déguste une portion de fromage plutôt qu'une portion de frites ; enfin, rappelez-vous ceci : quelques friandises de temps en temps n'ont probablement jamais fait de tort à personne.

UN MOT AU SUJET DU RÉGIME VÉGÉTARIEN

Si votre compagne est végétarienne, rien n'empêche qu'elle et le bébé ne reçoivent tous les éléments nutritifs dont ils ont besoin, surtout si elle consomme des œufs et du lait. Si elle est végétalienne, c'est-à-dire végétarienne stricte, vous devez alors chercher conseil auprès du médecin.

UN DERNIER MOT SUR LE RÉGIME ALIMENTAIRE

Aider votre compagne à se nourrir sainement est l'une des meilleures choses que vous puissiez faire si vous voulez un bébé en bonne santé et heureux, et une compagne qui le soit aussi. Ne soyez pas trop dur avec elle, un écart occasionnel au régime ne peut guère causer de problèmes sérieux. Enfin, aidez-la. Cela signifie que vous devrez vous efforcer de manger aussi sainement qu'elle. Et si malgré tout vous désirez déguster un *banana split,* faites-le discrètement et n'en dites rien.

La campagne de la faim

L'une des choses que j'ai trop souvent sous-évaluées pendant que ma femme était enceinte, c'est son incroyable état d'affamée perpétuelle. Malgré l'en-cas pris avant son départ du bureau, elle mourait déjà de faim en arrivant chez nous.

Si vous avez l'habitude de cuisiner, rien ne changera pour vous pendant la grossesse. Mais si votre compagne se chargeait de cette mission, voici quelques suggestions qui pourraient lui simplifier grandement la vie.

Apprenez à cuisiner des plats simples.

Il existe beaucoup de livres de cuisine spécialisés dans la préparation de repas express. En outre, la plupart des magazines, ainsi que certains grands quotidiens, réservent quelques colonnes à des recettes simples, basées sur les produits de saison. Des solutions nettement plus coûteuses consistent à faire provision de dîners sains à réchauffer au four micro-ondes, ou à commander des repas à l'extérieur.

Ayez quelques menus en réserve.

Cela signifie qu'il vous faudra passer quelque temps à consulter les recettes proposées par de bons livres de cuisine et à repérer ce qui vous semble adéquat. À mesure de cette lecture, prenez soin de noter les ingrédients qui vous seront nécessaires. Bien que la préparation des plats ne soit pas toujours compliquée, elle exige cependant du temps.

Faites les courses à sa place.

Que vous vous proposiez ou non de composer les menus et de préparer les repas, le fait de vous charger des courses du

Votre réserve de vivres

Si vous faites provision des produits ci-dessous, vous pourrez à tout moment préparer un repas sain ou un petit en-cas.

- Céréales non sucrées
- Pâtes alimentaires
- Jus de tomate et jus de légumes
- Pain complet
- Lait écrémé
- Fromage blanc, maigre
- Yogourt maigre, au sucre naturel
- Œufs frais
- Beurre d'arachide naturel
- Gelées pur fruit
- Eaux minérales
- Biscuits secs
- Légumes frais à croquer tels quels, tels que carottes, concombres, céleris et tomates
- Fruits frais
- Baies surgelées
- Raisins secs et autres fruits déshydratés

ménage lui épargnera une heure par semaine de va-et-vient sur des sols peu conçus pour des femmes enceintes et pénibles même pour le commun des mortels... En outre, se trouver dans une épicerie, au milieu de toutes ces nourritures, peut paraître insupportable pour une femme sujette à des nausées. Si c'était elle qui, précédemment, se chargeait de la corvée, n'oubliez pas de lui demander une liste détaillée des produits à acheter.

Préparez-lui un délicieux petit déjeuner.

Accordez-lui quelques précieuses minutes de plus au lit en préparant vous-même son petit déjeuner. (Voir d'excellentes recettes à la page 44.)

Lisez attentivement les informations en petits caractères

Acheter de la nourriture saine n'est pas aussi facile que l'on croit et la plupart des producteurs ne sont pas toujours disposés à vous seconder. Tout en poussant le chariot dans l'épicerie, lisez attentivement les informations consignées sur les étiquettes. En particulier, surveillez les points suivants :

Composition

Le premier ingrédient de la liste est toujours le composant principal, quoi que vous achetiez. Si le produit annoncé en caractères géants sur le paquet n'est repris qu'à la fin de la liste des composants, cherchez-le sous une autre marque.

Sucre et substances équivalentes

Fructose, sirop de sucre, sirop d'or, sucrose, dextrose et même miel ne sont que des façons élégantes de dire « sucre ».

Boissons fruitées, limonades, cocktails de fruits

En dépit de leur apparence saine, la plupart des boissons fruitées contiennent moins de jus de fruits que vous ne pensez, souvent moins de dix pour cent, le reste n'étant souvent qu'eau et sucre.

Portion

Voici l'un des points les plus décevants de l'étiquetage des denrées alimentaires. Très souvent, la teneur en calories, la quantité de matières grasses ou de protéines et autres informations nutritionnelles sont données par « portion ». Ce serait parfait si tous les fabricants utilisaient le même étalon. Par exemple, sur un paquet de 8 onces (environ 227 g) de belles lasagnes surgelées, les teneurs en calories, protéines et matières grasses me semblaient parfaites jusqu'au moment où j'ai constaté que la portion de référence n'était en réalité que de 6 onces (environ 170 g). Une personne peu attentive qui aurait consommé la portion complète de huit onces aurait donc absorbé trente-trois pour cent de calories et de matières grasses de plus que ce qu'elle aurait souhaité.

Apport calorifique des graisses

La plupart des diététiciens sont d'accord pour recommander aux femmes enceintes de limiter à trente pour cent du total la ration calorique qui leur est fournie par les matières grasses. Les producteurs sont maintenant tenus de faire ce calcul pour vous. Mais il y a une façon simple de se faire une idée de cet apport calorique : multipliez par dix le nombre de grammes de matières grasses. Par exemple, si vous achetez un aliment contenant 100 calories et 5 grammes de matières grasses par portion, l'apport calorique des matières grasses est de 50 pour cent (5 grammes $\times$ 10 = 50).

Un mot sur les additifs

Si votre compagne est enceinte, elle doit éviter de prendre de la saccharine (un édulcorant récemment remplacé par l'aspartame), des nitrates et des nitrites (agents de conservation fréquemment présents dans les charcuteries et le lard fumé) et du glutamate monosodique (un renforçateur de goût en vogue dans la cuisine asiatique). Toutes ces substances risquent d'être nocives pour le fœtus.

Quelques recettes

Lait frappé enrichi

$1/2$ tasse de lait écrémé

1 banane

12 fraises

le jus de 2 oranges

Versez les ingrédients dans un malaxeur, broyez le tout et servez frappé ou sur glace pilée.

En-cas simples à préparer

• Pour son déjeuner du lendemain, la veille au soir, pelez et tranchez des carottes et du céleri crus.

• Cuisez des œufs durs (10 minutes) et écalez-les.

• Préparez un mélange de fruits secs : noix, raisins et autres fruits secs, graines de tournesol.

Omelette blanche mexicaine

3 blancs d'œufs
1 cuiller à thé de feuilles de coriandre finement hachées
1 petite tomate concassée
1/4 de tasse de poivrons verts et/ou rouges, en lanières
1/4 de tasse d'oignons rouges finement hachés
poivre au goût

Battez les blancs d'œufs dans un bol et versez-les dans une poêle garnie de téflon, de grandeur moyenne, faites chauffer à feu moyen. Lorsque les blancs d'œufs commencent à prendre, ajoutez les autres ingrédients. Laissez cuire jusqu'à prise complète des blancs d'œufs et glissez l'omelette sur une assiette de service.

Flocons d'avoine au four micro-ondes

1/3 de tasse de flocons d'avoine (à cuisson rapide ou non)
2/3 de tasse d'eau
1/2 banane en rondelles
une pincée de cannelle
un trait d'extrait de vanille
lait
1 cuiller à table de germe de blé

Placez les flocons d'avoine dans un bol allant au four à micro-ondes. Mélangez-y l'eau, la banane, la cannelle et la vanille. Passez au four à forte puissance pendant 2 à 3 minutes, ou jusqu'à ce que le mélange commence à bouillonner. Sortez la préparation du four et mélangez à nouveau. Ajoutez le lait selon le goût. Saupoudrez de germe de blé pour enrichir la préparation en vitamines et protéines.

Crêpes au chocolat et à la banane

1/2 tasse de farine blanche

1/2 tasse de farine de blé entier

2 cuillers à thé de poudre à lever (levure chimique)

1/4 de cuiller à thé de cannelle

une pincée de sel

1/2 cuiller à table de sucre blanc

1/2 cuiller à table de sucre brun (si vous manquez de l'un ou de l'autre, prenez simplement une cuiller à table entière du sucre dont vous disposez)

1 œuf

1 cuiller à thé d'extrait de vanille (facultatif, mais délectable)

1 cuiller à soupe d'huile végétale

une petite tasse de lait

1/2 tasse de pépites de chocolat

1 cuiller à table de beurre ou de margarine

3 bananes en rondelles

Mélangez les ingrédients secs dans un bol. Ajoutez les œufs, la vanille, l'huile et le lait. Mélangez jusqu'à obtention d'une pâte lisse. Ajoutez le chocolat et mélangez à nouveau. Faites fondre le beurre dans une grande poêle. Versez-y le mélange par larges portions distinctes. Placez rapidement quelques tranches de banane sur chaque crêpe. Lorsque des bulles se forment à la surface, retournez les crêpes. Laissez cuire jusqu'à ce que le second côté soit aussi coloré que le premier.

Chacune des salades proposées ci-dessous peut être servie comme plat principal ou comme hors-d'œuvre.

Salade de tomates au basilic

L'association de ces deux ingrédients compose une salade rafraîchissante. Si possible, utilisez du basilic frais et des tomates locales pour une saveur parfaite.

2 tomates mûries sur plant
6 à 8 feuilles de basilic
2 cuillers à table de vinaigre balsamique
4 cuillers à table d'huile d'olive extra-vierge
poivre fraîchement moulu au goût

Tranchez les tomates en rondelles et disposez-les dans un plat. Hachez finement les feuilles de basilic et parsemez-en les tomates. Arrosez de vinaigre et d'huile. Ajoutez le poivre moulu. Couvrez et réfrigérez pendant au moins une heure. Sortez du réfrigérateur une demi-heure avant de servir.

Salade mixte à la vinaigrette balsamique

La combinaison de diverses variétés de légumes verts comme la laitue de Boston, la laitue feuille-de-chêne, la mâche, l'épinard, la chicorée, donne une salade panachée fort agréable. De fines tranches de concombre, des pois mange-tout, des haricots verts, des carottes râpées et des betteraves cuites viennent ajouter couleur, saveur et substances nutritives au mélange. Évitez d'y ajouter des croûtons, trop riches en calories et pauvres en apports nutritionnels.

Lavez et essorez la verdure, garnissez-en chaque assiette et disposez par-dessus, selon le goût, les autres légumes choisis. Au moment de servir, versez deux ou trois cuillerées à soupe de vinaigrette balsamique sur chaque portion (voir recette ci-dessous).

Vinaigrette balsamique

2 gousses d'ail écrasées
2/3 de tasse de vinaigre balsamique
1 cuiller à thé de moutarde de Dijon
1/2 cuiller à thé de persil haché
1/2 cuiller à thé de ciboulette hachée
1/3 de tasse d'huile
sel et poivre

Mélangez l'ail, le vinaigre, la moutarde et les herbes. Incorporez l'huile au mélange. Ajoutez le sel et le poivre selon le goût.

Salade de concombres

2 grands concombres
1 oignon moyen
1 tasse de vinaigre de cidre
1/2 tasse de yogourt nature, maigre
1 cuiller à thé d'aneth haché

Si les concombres sont bien fermes, laisser la peau et les débiter en tranches très fines. Mélanger concombres et oignon haché en petits dés dans un grand bol pouvant être réfrigéré. Verser le vinaigre et le yogourt sur le mélange, couvrez et laissez au réfrigérateur pendant une nuit. Servez froid comme plat d'accompagnement, garni d'aneth.

Pizza à faible teneur en calories

Créez votre propre combinaison de garniture, y compris artichauts, olives et courges, et utilisez un choix de fromages comme le bleu, le cheddar, le gruyère et même le fromage blanc maigre.

4 tortillas crues (comptoir frigorifique chez les épiciers)

2 tomates italiennes, tranchées

3 gousses d'ail, pilées ou hachées

1 tasse de champignons, émincés et sautés

1 oignon moyen, haché et sauté

6 cuillers à thé d'herbes fraîches (origan, thym et basilic),
   hachées ou 3 cuillers à thé de ces mêmes herbes,
   séchées

1/2 tasse de fromage râpé ou de fromage blanc maigre

Préchauffez le four à 175°C (ou 350°F). Disposez les tortillas sur une plaque graissée. Couvrez avec les tomates, l'ail, les champignons, les oignons et les herbes. Ajoutez le fromage. Cuire pendant vingt minutes ou jusqu'à ce que les tortillas soient croustillantes. Servez chaud.

Crème de courgettes pauvre en calories

Cette recette peut être modifiée en substituant des carottes, des pommes de terre ou du céleri aux courgettes.

3 courgettes de grosseur moyenne, épépinées et tranchées
   en rondelles de 1/4 cm d'épaisseur

1 oignon blanc moyen, haché en dés

1 petit cube de bouillon de poulet (facultatif car les cubes
   de bouillon contiennent normalement du glutamate
   monosodique)

1 tasse de yogourt nature maigre

1 cuiller à soupe d'aneth frais

sel et poivre

Placez dans une casserole les courgettes, l'oignon et le cube de bouillon et ajoutez-y la quantité d'eau strictement nécessaire pour les couvrir. Portez à ébullition et faites cuire environ dix minutes. Laissez refroidir. Ajoutez le yogourt et l'aneth et réduisez en une crème homogène au malaxeur. Salez et poivrez selon le goût.

Sauce végétarienne pour spaghetti (simple et rapide)

2 gros oignons hachés

4 cuillers à soupe d'huile d'olive

250 g de champignons émincés

900 g de sauce pour spaghetti sans viande

800 g de tomates en conserve

110 g de purée de tomates

450 g de tofu, débité en cubes de 1 cm de côté

une cuiller et demie de basilic sec

une bonne pincée de poivre de Cayenne

1 feuille de laurier

sel et poivre selon le goût

1 cuiller à thé de sucre

$1/2$ cuiller à thé de poudre d'ail

1 cuiller à soupe de vinaigre de riz

Dans une petite casserole, faites revenir les oignons dans l'huile d'olive à chaleur modérée jusqu'à ce qu'ils soient translucides. Ajoutez les champignons et faites sauter pendant cinq minutes. Ajoutez alors tous les autres ingrédients et laissez mijoter pendant 40 minutes. Si la sauce n'est pas utilisée immédiatement, laissez refroidir, versez dans des récipients et faites surgeler.

Croustilles santé

3 belles pommes de terre, pelées et débitées en fines lamelles

enduit antiadhésif en aérosol

paprika selon le goût

Préchauffez le four à 175°C (350°F). Tranchez les pommes de terre en lamelles aussi fines que possible. Vaporisez de l'enduit antiadhésif sur une plaque à biscuits. Étendez les lamelles de pommes de terre uniformément sur la plaque. Saupoudrez de paprika et cuisez pendant environ 15 minutes jusqu'à ce que les lamelles de pommes de terre soient croquantes.

Pâtes au beurre d'arachide épicé

1/2 kg de cheveux d'ange (spaghetti très fins)
1 cuiller à table d'huile de sésame
4 cuillers à table d'huile d'arachide ou de tournesol
6 gousses d'ail, finement hachées
1 bonne pincée (1/8 cuiller à thé) de poivre rouge en paillettes
10 brins de ciboulette finement hachés
1/2 tasse de beurre d'arachide crémeux
6 cuillers à table de vinaigre de vin de riz
6 cuillers à table de sauce soya
4 cuillers à table de sucre blanc
1 concombre pelé, évidé et finement tranché (facultatif)
feuilles de coriandre selon le goût (facultatif)

Cuire les pâtes selon les indications du fabricant. Les égoutter et les arroser d'huile de sésame. Réserver. Faites sauter l'ail et le poivre dans l'huile d'arachide ou de tournesol, dans une grande poêle. Ajoutez la ciboulette. Chauffez fort en mélangeant pendant une minute. Coupez la chaleur. Ajoutez les autres ingrédients et utilisez un fouet pour mélanger en une sauce épaisse. Verser sur les pâtes pendant que la sauce est encore chaude. Garnissez de tranches de concombre et/ou de feuilles de coriandre si désiré.

Poulet rôti à l'ail

1 poulet à rôtir (1,5 kg à 2 kg)
5 gousses d'ail
1 carotte coupée en rondelles
2 pieds de céleri découpés en dés
4 petits oignons blancs
2 cuillers à thé d'huile d'olive
1/2 tasse de vin blanc (facultatif)
1/4 de tasse d'eau

Préchauffez le four à 230°C (450°F). Nettoyez le poulet, rincez-le à l'eau claire, épongez-le et piquez-le d'ail. Posez le poulet ainsi préparé dans un plat profond allant au four. Farcissez-le avec les légumes (carottes, céleri et oignon). Arrosez d'huile d'olive, puis de vin et d'eau. Cuire pendant 30 à 40 minutes, ou jusqu'à ce que le jus en sorte clair lorsqu'on pique les cuisses avec une fourchette.

Côtes d'agneau

Un mets de fête délicieux et facile à préparer.

1/4 de tasse de chapelure
3 gousses d'ail, pilées
2 cuillers à thé de persil séché
sel et poivre selon le goût
côtes d'agneau (demandez au boucher d'enlever l'excès de graisse et de découper les côtes à la française)
5 cuillers à thé de moutarde de Dijon

Préchauffez le four à 230°C (450°F). Dans un petit bol, mélangez la chapelure, l'ail, le persil, le sel et le poivre. Placez les côtes dans un plat allant au four, la chair vers le haut. Badigeonnez de moutarde et faites cuire pendant

10 minutes. Retirez du four. À l'aide d'une fourchette, incorporez le mélange de chapelure dans la couche de moutarde, réduisez la température du four à 175°C (350°F) et laissez cuire pendant encore 20 minutes ou jusqu'à ce que la viande soit cuite à point.

Salade de fruits nappée de yogourt

Un plat délicieux au déjeuner, au dîner ou comme dessert. Comme entrée ou comme dessert, cette préparation convient pour quatre personnes. Servie comme plat principal au dîner, elle convient pour deux personnes.

1 pomme verte, pelée, épépinée et débitée en fines tranches
1 banane en rondelles
le jus d'une lime
1 petite grappe de raisin bleu ou blanc sans pépins
5 fraises, coupées en deux
1 orange navel sans pépins (ou autre agrume) en tranches
2 kiwis, pelés et tranchés
1 tasse de yogourt maigre à la vanille (ou yogourt naturel maigre)
1 cuiller à thé de cannelle en poudre
$1/2$ tasse de noix de coco hachée (facultatif)
4 à 8 feuilles de menthe fraîche (facultatif)

Passez au broyeur, dans un grand bol, banane, pomme et jus de lime. Ajouter les autres fruits et broyez à nouveau. Dans un autre récipient, mélangez le yogourt et la cannelle. Au moment de servir, ajoutez ce mélange et la noix de coco aux fruits. Garnissez chaque portion d'une ou de deux feuilles de menthe.

Le médecin veut vous voir maintenant

L'état de votre compagne

Physiquement

- L'état de fatigue se prolonge
- Persistance des nausées matinales
- Mictions fréquentes
- Fourmillements dans les doigts et les orteils
- Sensibilité des seins

Émotivement

- Exaltation mêlée de sentiments ambivalents au sujet de son état
- Difficulté de se concentrer au travail
- Inquiétude quant à son pouvoir d'attraction sur vous
- Sautes d'humeur
- Crainte d'une fausse couche

L'état du bébé

Au cours de ce mois, le bébé passera de l'état d'embryon à celui de fœtus. À la fin du mois, il ou elle (il est encore bien trop tôt pour savoir si c'est une fille ou un garçon) aura des petits moignons mais pas encore de doigts, des yeux sans paupières de part et d'autre du petit visage, des oreilles et, en dehors du corps, un tout petit cœur qui bat. Si vous rencontriez une version d'un mètre quatre-vingts de votre bébé dans une sombre allée, vous vous sauveriez.

Et vous dans tout cela ?

Rester en prise avec la réalité

La plupart des études faites sur le sujet montrent que les femmes s'adaptent plus rapidement que les hommes aux réalités de la grossesse. Bien qu'elles ne puissent encore sentir les mouvements du bébé en elles, les transformations physiques qu'elles éprouvent leur rendent cet état plus « tangible » qu'aux hommes.

Pour bien des hommes, une grossesse de deux mois demeure encore un concept fort abstrait. En ce qui me concerne, malgré mon enthousiasme débordant, l'idée que nous attendions réellement un heureux événement était si difficile à assimiler que j'en perdis la notion à plusieurs reprises.

Enthousiasme et appréhensions

Malgré ces problèmes d'adaptation, chaque fois que j'ai vraiment compris que nous attendions cet enfant, je me suis trouvé pris dans un dilemme qui m'a poursuivi pendant des mois. D'une part, j'étais tellement enthousiaste que je pouvais à peine contenir ma joie. Je me voyais déjà promenant mon enfant le long de la plage, jouant, lisant, l'aidant à faire ses travaux scolaires, et j'avais envie d'arrêter les passants pour leur dire que j'allais être père. D'autre part, je faisais un réel effort pour calmer mes fantaisies et me détacher de l'idée de cette grossesse de sorte que, si une catastrophe devait arriver, fausse couche ou autre accident, je puisse résister à l'accablement.

Où en est l'appétit sexuel : en hausse ou en baisse ?

Dans les moments où je me sentais le plus excité à l'idée de devenir père, je remarquai aussi que la vie sexuelle, tant celle de ma femme que la mienne, était en train de changer. Peut-être était-ce dû à l'enthousiasme de la récente confirmation de ma virilité ou à la perception qu'un lien nouveau et plus étroit me rattachait à ma femme, ou peut-être était-ce cette sensation nouvelle de liberté de n'avoir plus à nous soucier du contrôle des naissances. Quelle qu'en soit la raison, l'élan sexuel qui s'est manifesté au cours des premiers mois de la grossesse s'est révélé plus passionné et plus érotique que jamais.

Mais tout homme n'éprouve pas nécessairement un regain de désir sexuel pendant la période de grossesse. Certains sont déconcertés par les transformations physiques de leur compagne, d'autres craignent de faire tort au bébé, chose pourtant impensable à ce stade de l'évolution. D'autres encore pensent qu'il serait insensé d'avoir des relations sexuelles, maintenant que l'enfant est « en route ». Quels que soient vos sentiments à ce sujet, efforcez-vous d'en discuter avec votre compagne. Il y a certaines chances qu'elle pense ou pensera bientôt de la même façon que vous.

Ce que vous pouvez faire

Rencontrer le médecin

La règle selon laquelle les femmes s'investissent plus à fond que les hommes dans une grossesse a une exception : il a été montré que les pères qui s'engagent dès le début et qui restent engagés tout au long de la grossesse sont tout aussi proches du bébé que leur compagne. Et l'un des moyens de rester dans le coup est d'assister aussi souvent que possible aux rencontres de votre compagne avec le gynécologue-obstétricien.

Une visite chez le médecin n'est pas une chose qui me réjouit particulièrement. Encore moins une visite chez le médecin de quelqu'un d'autre. Pourtant, tout au long de nos deux grossesses vécues, je crois n'avoir manqué que deux des consultations médicales de ma femme. Il faut reconnaître que ces séances sont parfois ennuyeuses, mais à tout prendre elles ont représenté pour moi d'excellentes occasions d'obtenir des réponses aux questions que je me posais, et de satisfaire ma curiosité concernant ce qui se passait à l'intérieur du ventre de ma femme.

En théorie, il serait possible d'obtenir réponse à l'une ou l'autre des questions fondamentales en bouquinant parmi les centaines de livres écrits pour les femmes et consacrés à la gestation et à la naissance. Mais il y a d'autres raisons, plus importantes, d'assister à ces visites. D'abord, vous devenez davantage un partenaire qu'un simple spectateur. En deuxième lieu, votre participation démystifiera le processus et vous le rendra plus tangible. Écouter pour la première fois battre le cœur du bébé (aux environs du troisième mois), et voir son petit corps bouger sur l'écran ultrasonique (au cours du cinquième mois environ), communique au phénomène de la gestation une force qu'aucun mot ne pourrait rendre. Troisièmement, à mesure de la progression de la grossesse, votre compagne se sentira de plus en plus dépendante de vous, et elle aura besoin de concrétiser le sentiment que vous serez toujours là pour elle. Bien qu'une visite chez le médecin puisse paraître moins romantique qu'une croisière au clair de lune ou qu'un bouquet de roses, ce geste de votre part lui montrera que vous l'aimez et lui prouvera qu'elle n'est pas seule.

Si vous décidez de l'accompagner chez le médecin, sortez votre agenda car la plupart des femmes enceintes voient leur spécialiste au moins une fois par mois pendant les sept premiers mois, deux fois au cours du huitième mois, ensuite une fois par semaine. Il est évident que s'absenter du bureau ou du travail à l'occasion de chacun de ces rendez-vous peut être irréalisable, mais avant de laisser tomber les bras, prenez contact avec le médecin car nombreux sont ceux qui acceptent des rendez-vous tôt le matin ou au cours de la soirée.

Les tests

La grossesse, ce temps de grande intimité sentimentale entre votre compagne et vous, est aussi une période de tests médicaux fréquents... La plupart de ces tests, comme l'examen mensuel de l'urine pour le dépistage, entre autres, du diabète et les prises de sang trimestrielles pour la surveillance d'autres paramètres, sont pure routine. D'autres sont moins fréquents et peuvent parfois susciter quelque inquiétude.

Le plus angoissant reste la détection d'éventuelles tares congénitales. L'une des choses auxquelles vous devez vous attendre de la part du médecin est l'examen détaillé de vos dossiers médicaux respectifs. Les notions ainsi recueillies aideront le praticien à prendre d'avance les dispositions voulues en cas de problèmes.

Les tests prénatals

Si vous appartenez à l'une des catégories à haut risque, votre médecin voudra sans doute procéder à certains tests prénatals. Il faut cependant savoir qu'à l'exception des examens ultrasoniques et sanguins, chacun de ces tests de diagnostic prénatal comporte certains risques potentiels, tant pour votre compagne que pour l'enfant. Informez-vous à ce sujet auprès du médecin et assurez-vous que le profit retiré du test outrepasse les risques potentiels encourus.

EXAMEN ULTRASONIQUE OU ÉCHOGRAPHIE

Ce test non invasif est indolore pour la mère, sans danger pour le bébé et peut être effectué en tout temps à partir de la cinquième semaine de la grossesse. En répercutant des ondes sonores dans le voisinage de l'utérus, le procédé permet d'obtenir une bonne image du bébé. Au cours du premier trimestre, le médecin recommandera probable-ment un examen ultrasonique si votre compagne a eu des hémorragies, s'il y a doute quant au nombre de fœtus ou si le spécialiste soupçonne une grossesse extra-utérine. Au cours du deuxième trimestre, il est possible, si vous le souhaitez, de déterminer par ultrasons le sexe du bébé ou de faire une évaluation plus précise de la date de la naissance ou encore de vous donner une meilleure idée de ce à quoi ressemble le bébé en ce moment. Pendant la dernière partie de la grossesse, et particulièrement si le bébé se fait un peu attendre, le médecin pourrait deman-der un nouvel examen ultrasonique pour déterminer la position du bébé, s'assurer que le placenta est toujours actif ou qu'il y a encore assez de liquide amniotique pour sup-porter le bébé.

LE DOSAGE DE L'ALPHA-FŒTOPROTÉINE

Cette analyse sanguine très simple peut être effectuée entre la quinzième et la dix-huitième semaine de la grossesse. Elle permet de détecter une série de malformations possibles du cerveau et de la moelle épinière, dont les plus communs sont le spina-bifida et l'anencéphalie ou absence totale ou partielle de cerveau. Les résultats sont disponibles une ou deux semaines après l'examen. Cependant, parce que ce test est peu précis, la plupart des obstétriciens ne le recommandent pas, sauf si vous ou votre compagne avez des antécédents familiaux qui justifient cette précaution.

AUTRES TESTS SANGUINS

Une série de problèmes congénitaux sont plus fréquents chez certains groupes ethniques que chez d'autres. En fonction de votre histoire familiale, le médecin pourrait demander, pour vous comme pour votre compagne, divers tests sanguins supplémentaires. Parmi les problèmes les plus courants liés à l'appartenance ethnique, il faut mentionner :

• L'anémie drépanocytaire. Si vous avez des ancêtres de race noire, il serait bon de vous faire tester à ce sujet.

• La maladie de Tay-Sachs. Si vous appartenez tous deux à des familles à la fois juives et originaires de l'Europe de l'Est, au moins l'un de vous devrait être testé.

L'AMNIOCENTÈSE

Ce test peut normalement être pratiqué entre la quinzième et la dix-huitième semaine. Une aiguille est introduite à travers la paroi abdominale dans la cavité amniotique pour y prélever une petite quantité de liquide. Ce prélèvement est analysé afin d'y déceler éventuellement tout défaut chromosomique ou de développement. Les résultats de ce test sont normalement disponibles après trois ou quatre semaines. Sauf si votre compagne présente un risque élevé (voir à la page 63), ou si vous vouliez vraiment tout savoir sur votre bébé, il n'y a aucune raison de pratiquer ce test. Les risques qu'une femme de moins de trente ans donne naissance à un bébé affligé d'un défaut décelable par amniocentèse sont inférieurs à 1 sur 400. Par ailleurs, les risques que le prélèvement provoque une fausse couche sont de 1 sur 200. Cependant, pour les femmes de plus de trente-cinq ans, l'amniocentèse commence à se justifier statistiquement : les risques d'avoir un bébé qui présente des anomalies sont alors de 1 sur 192 et ces risques croissent très vite avec l'âge de la future mère.

CHORIOCENTÈSE

Généralement, ce test est pratiqué entre la neuvième et la onzième semaine pour dépister certaines anomalies chromosomiques et certaines maladies héréditaires. Un cathéter est introduit à travers le vagin jusque dans l'utérus où de petits échantillons de villosités choriales, membrane de même composition génétique que le fœtus, sont prélevés pour analyse. Ce test entraîne des risques un peu plus élevés que l'amniocentèse (environ une fausse couche pour cent interventions), mais par le fait qu'il est beaucoup plus précis et permet de détecter un plus large éventail d'anomalies, il devrait être appelé à remplacer progressivement le précédent.

PRÉLÈVEMENT PERCUTANÉ DE SANG DU CORDON OMBILICAL

Ce test est habituellement effectué entre la dix-huitième et la trente-sixième semaine et a pour objectif la confirmation

Quelques raisons qui pourraient entraîner un risque de malformations congénitales pour le bébé

- Vous-même ou votre compagne avez des antécédents familiaux à problèmes

- Vous faites partie d'un groupe ethnique à haut risque (les Afro-américains sont, par exemple, sujets à l'anémie drépanocytaire, les Juifs originaires d'Europe de l'Est sont considérés comme sujets à la maladie de Tay-Sachs).

- Votre compagne a trente-cinq ans ou plus.

Autres raisons de pratiquer des tests prénatals

Les tests prénatals sont aussi accessibles à toute personne qui, bien que n'étant pas considérée comme personne à risque, aurait d'autres raisons pour les demander. Voici l'une ou l'autre de ces raisons :

- Tranquillité d'esprit. Une amniocentèse ou une choriocentèse peut enlever tout doute concernant la santé de votre enfant. Pour certains, cette réassurance permet de jouir plus pleinement de la période d'attente. Si par contre les tests révèlent quelque problème, vous et votre conjointe avez plus de temps pour vous préparer aux décisions difficiles qui vous attendent (pour plus d'information à ce sujet, voir les pages 67 et 68, malformations congénitales).

- Déterminer le sexe de l'enfant.

d'anomalies éventuellement détectées par l'amniocentèse. La procédure est virtuellement la même que pour l'amniocentèse, mais l'aiguille est insérée, cette fois, dans un vaisseau sanguin du cordon ombilical. Selon les spécialistes, cela affine la précision du test. Les résultats sont connus dans les trois jours. Outre le risque de complications et de fausse couche résultant de l'intervention, celle-ci accroît aussi légèrement celui d'un déclenchement prématuré du travail de l'accouchement ainsi que de formation de caillots de sang dans le cordon ombilical.

Faire face à l'imprévu

En ce qui me concerne, la période de grossesse a été, sur le plan émotionnel, comparable à une course sur planche à roulettes : à certains moments, j'étais surexcité et me prenais à rêver au bébé, et l'instant d'après, je me sentais sous le coup des pires menaces. Je désirais des enfants, mais, en même temps, je craignais de trop m'emballer et si quelque chose d'imprévu survenait – grossesse extra-utérine, fausse couche ou handicap de naissance – j'en serais comme anéanti. De sorte qu'au lieu de me réjouir sans réserve de l'événement, je gaspillais beaucoup de temps et d'énergie à me torturer les méninges en lisant et en ressassant ce qui pourrait arriver de pire.

Grossesse extra-utérine

Un pour cent environ des embryons, au lieu de se loger dans l'utérus, commencent à se développer dans les trompes de Fallope, trop étroites pour les contenir à mesure de leur développement. Non diagnostiquée à temps, une grossesse extra-utérine cause l'éclatement de la trompe et une grave hémorragie. Toutefois, la plupart sont décelées et enlevées avant la huitième semaine de grossesse, bien avant de causer des problèmes.

FAUSSES COUCHES

Il faut déplorer, en particulier pour des pessimistes comme moi, que les fausses couches surviennent si fréquemment. Certains spécialistes affirment qu'une grossesse sur cinq se termine par une fausse couche. De fait, presque chaque femme sexuellement active aura une fausse couche à un moment ou à un autre de son existence. Dans la plupart des cas, l'accident survient avant même que le couple ne s'aperçoive qu'il attend un bébé. L'embryon est alors emporté dans le flux menstruel.

Avant de céder à la panique, rappelez-vous deux choses. D'abord, plus de quatre-vingt-dix pour cent des couples qui ont vécu une fausse couche mènent un peu plus tard une nouvelle grossesse à terme. Ensuite, beaucoup croient qu'une fausse couche, la plupart d'entre elles survenant dans les trois premiers mois de la grossesse, serait en réalité un « bienfait insoupçonné ». Les auteurs de l'ouvrage intitulé *What to Expect When You're Expecting* expliquent bien cette façon de voir. Une fausse couche, disent-ils en substance, est généralement un processus de sélection naturelle selon lequel un embryon ou un fœtus mal formé (en raison de facteurs d'environnement, rayonnements ionisants ou drogue par exemple, en raison d'un fœtus mal implanté dans l'utérus ou en cours de développement anormal, à cause d'une infection maternelle, d'un accident de parcours ou de toute autre raison indéterminée) est expulsé avant d'avoir pu se développer. Il faut reconnaître que, si une épreuve de cette nature vous arrive, aucune de ces explications ne vous consolera.

Jusqu'à très récemment, la fausse couche et la grossesse à laquelle elle mettait fin étaient considérées comme des phénomènes rattachés exclusivement au domaine émotionnel de la femme. C'est une erreur. Bien que l'homme n'ait à supporter ni les douleurs physiques ni l'inconfort d'une fausse couche, sa souffrance intime est tout aussi grande que celle de sa compagne. Ils nourrissent les mêmes espoirs et les mêmes rêves au sujet de l'enfant à naître, et ils supportent la même douleur profonde lorsque ces espoirs et ces rêves s'évanouissent. Beaucoup d'hommes, tout comme leurs compagnes, ressentent une culpabilité profonde et un sentiment d'impuissance au moment où la grossesse se termine prématurément.

Deux de mes amis, Philip et Elaine, ont eu l'expérience d'une fausse couche il y a quelques années, après douze semaines de grossesse. Pour l'un comme pour l'autre, l'épreuve a été dévastatrice sur le plan des émotions et pendant des mois, après l'accident, ils ont été talonnés par des tiers compatissants dont la plupart n'avaient appris la grossesse qu'après sa fin abrupte. Tous ont voulu savoir comment Elaine réagissait, ont offert de lui faire visite, lui ont exprimé leur profonde sympathie et souvent lui ont narré leurs propres expériences en la matière. Mais aucun d'entre eux, même pas sa femme, ne s'est informé de l'état de Philip, ne lui a transmis une quelconque marque d'amitié pour l'épreuve qu'il avait traversée, et ne lui a offert un soutien empreint de chaleur humaine.

Nombreux sont les psychologues et les sociologues qui se sont penchés sur la réaction de tristesse lors de l'expulsion d'un fœtus. Or la majorité de leurs études porte seulement sur les réactions féminines. Celles qui y ont inclus les sentiments des pères concluent généralement que les hommes et les femmes sont affectés de manière différente par la douleur. La D^{re} Kristen Goldbach note que « les femmes expriment le plus souvent leur peine ouvertement, tandis que les hommes ont tendance à être moins démonstratifs, et adoptent fréquemment une attitude plus stoïque ». Loin de signifier que les hommes ne font pas montre de leur douleur, cela met seulement en évidence le fait que dans notre société les hommes, comme mon ami Philip, n'ont virtuellement aucune possibilité d'exprimer leurs sentiments.

MALFORMATIONS CONGÉNITALES

Au cas où l'un des tests mentionnés ci-dessus révélerait que votre enfant naîtra avec une malformation ou avec l'une ou l'autre tare plus ou moins grave, votre compagne et vous devrez vous attendre à entamer de sérieux débats. Deux options s'offrent à vous : ou garder l'enfant ou mettre fin à la grossesse. Vous ne serez heureusement pas seuls face à ce dilemme ; tout hôpital qui pratique les tests en question dispose de conseillers en génétique qui pourront vous aider à prendre une décision.

Lorsqu'une grossesse se termine ainsi de manière brutale, il est essentiel que votre compagne et vous puissiez trouver le soutien psychologique auquel vous avez droit. Alors que rien ne peut être fait pour éviter une fausse couche, ni la prévoir, le fait de confier vos sentiments à votre compagne, soit en tête-à-tête, soit avec l'aide d'un ministre du culte, d'un psychologue ou d'un ami intime, est une chose très importante. N'attendez pas qu'elle vous dise ce qu'*elle* ressent. Prenez l'initiative, réconfortez-la, parlez-lui.

Si vous envisagez l'un et l'autre l'interruption de la grossesse pour raisons d'ordre génétique, rappelez-vous qu'il est essentiel d'en parler clairement et sans détours avec votre compagne. Cette décision ne peut être prise à la légère, c'est un choix qui engage toute la vie, et vous devez être parfaitement d'accord avant de prendre parti.

Vous n'avez pas à supporter seuls votre peine. Des conseillers et des aides sont à la disposition de votre couple. S'adresser à un groupe de soutien peut constituer, pour l'homme, une expérience particulièrement utile, surtout pour ceux qui ne peuvent trouver d'aide auprès de leurs proches ou leurs amis. Beaucoup d'hommes qui recourent à ces groupes de soutien reconnaissent que jusque-là personne ne s'était jamais inquiété de savoir comment ils réagissaient face à la perte qu'ils venaient de subir. Le groupe offre aussi aux hommes la possibilité d'exprimer ouvertement leur tristesse sans être obligés de la dissimuler à leur compagne.

Si vous souhaitez rencontrer un groupe de soutien, votre médecin ou des conseillers en génétique pourront vous fournir l'adresse de l'organisme le plus proche ou de celui qui semble vous convenir le mieux.

Certains hommes peuvent cependant rejeter cette solution et se refuser à entrer en contact avec des inconnus qui n'ont somme toute que peu de points communs sinon leur tragédie personnelle. Si vous êtes de ceux-là, expliquez vos sentiments à votre compagne avec tout le tact requis. De son côté, elle aimerait peut-être vous voir rester auprès d'elle, et pourrait se sentir rejetée dans le cas contraire. Si, en contrepartie, vous décidiez de joindre un groupe de soutien, n'essayez pas de vous sortir seul de votre peine, parlez-en à votre compagne, au médecin ou à un ami sincère. Refouler votre douleur ne pourrait qu'entraver le processus de guérison.

La nouvelle s'ébruite

L'état de votre compagne

Physiquement

- La fatigue, les nausées matinales, la sensibilité des seins et autres symptômes précoces de la grossesse commencent à disparaître
- Les sautes d'humeur persistent
- La taille s'épaissit

Émotivement

- Perception accrue de la réalité de la grossesse en écoutant battre le cœur de l'enfant
- Persistance de sentiments ambivalents concernant la grossesse
- Dépit et exaltation à la fois au sujet de l'épaississement de la taille
- Intériorisation – conscience plus profonde des transformations physiques
- Début d'établissement de liens avec le bébé

L'état du bébé

Désormais, le fœtus ressemble vraiment à un petit être humain quoiqu'il ne mesure encore que cinq à sept centimètres et pèse moins de trente grammes. Les dents, les ongles et les cheveux se développent bien, et le cerveau n'est pas en reste. À la fin du mois, le bébé sera capable de recroqueviller ses orteils, de tourner la tête et même de froncer les sourcils.

Et vous dans tout cela ?

Un sens plus aigu des réalités

Au cours du troisième mois, les phénomènes propres à la grossesse commencent à être perceptibles. Pour ma part, le plus puissant indice en ce sens a été le battement du cœur du bébé, bien qu'il ne ressemble pas à celui d'un adulte, mais plutôt à un rapide huch-huch-huch. D'une certaine manière, entendre le médecin dire que ce bruit était vraiment le battement du cœur – et d'un cœur parfaitement sain – a été plutôt rassurant pour nous.

Délaissé

Cependant, ces vues réalistes sur la grossesse ne sont pas le seul souvenir que vous garderez de cette période. Vers la fin du premier trimestre, en effet, votre compagne s'attachera plus souvent à observer ce qui se passe dans son propre corps, à se demander si elle pourra être une bonne mère, à créer des liens avec le bébé. Elle intériorisera les sentiments relatifs à ces processus et sera sans doute assez préoccupée par ces questions. Si elle s'entend bien avec sa mère, l'une et l'autre peuvent en outre se rapprocher davantage, votre compagne recherchant des modèles de comportement valables.

Tout ce qu'elle vit lors de cette période est parfaitement normal. Toutefois vous risquez finalement de vous sentir exclu ou même rejeté de ce cercle d'« initiées ». Cela vous semblera peut-être pénible. Quoi qu'il en soit, gardez-vous de vous livrer inconsciemment à des représailles en vous repliant sur vous-même. Soyez aussi encourageant que possible et dites-lui, en évitant les reproches, ce que vous ressentez (voir la section « Vos relations intimes », pages 81 à 84). Heureusement pour vous, ce phénomène d'intériorisation ne dure pas.

L'accueil que vous réservent les médecins

Chez certains futurs pères, en particulier chez ceux qui se sentent repoussés par leur compagne, la joie ressentie face à la réalité de plus en plus évidente d'une grossesse peut en outre être obscurcie par la façon dont ils sont reçus par les médecins lors des visites prénatales. Pamela Jordan, chercheure, a montré que la plupart des hommes constatent que leur présence lors des consultations prénatales est considérée comme « sympathique » sinon « originale », et que la future maman est réellement bien l'unique cliente. Si par hasard on leur adresse la parole, ce n'est que pour indiquer la façon dont ils peuvent aider leur compagne. Le fait qu'ils puissent eux-mêmes avoir des problèmes ne semble venir à l'esprit de personne.

Heureusement, tel n'a pas été mon cas. À l'occasion de chacune des deux grossesses, les obstétriciens de ma femme ont dérogé à la règle en m'incluant dans le processus. Ils se sont appliqués à me regarder en décrivant l'état de ma femme et celui du bébé, m'encourageant à poser des questions et y répondant aussi complètement que possible. Le premier obstétricien m'invita même à jeter un coup d'œil au col de l'utérus de ma femme, d'où notre bébé devait émerger six mois plus tard. Il démystifiait en quelque sorte la grossesse et me permettait de m'associer plus intimement à l'événement. Si votre médecin ne vous propose pas la même chose, faites-en la demande en prenant au préalable l'avis de votre compagne.

Les symptômes physiques : la couvade

Quoique la plupart des problèmes que vous vivrez au cours de votre grossesse seront de nature psychologique, ne vous étonnez pas de constater aussi chez vous quelques manifestations physiques. Certaines études estiment qu'en Amérique du Nord, une proportion de futurs pères comprise entre vingt-deux et soixante-dix-neuf pour cent vivent le syndrome de la *couvade* (terme dérivé du verbe couver), en d'autres mots, de la « grossesse empathique. » Les symptômes de la couvade sont typiquement les mêmes que ceux de la femme enceinte, c'est-à-dire gain de poids, nausées, sautes d'humeur, caprices alimentaires, auxquels s'associent parfois quelques autres manifestations comme maux de tête, rages de dents, démangeaisons et apparition de kystes. Ces symptômes, pour autant que vous en souffriez, apparaîtront généralement vers le troisième mois de grossesse pour diminuer ensuite, puis reprendre de plus belle au cours des deux derniers mois avant l'accouchement. Dans presque tous les cas, ils disparaissent mystérieusement au moment de la naissance.

Comme notre société nie généralement l'importance (sinon l'existence même) des épreuves par lesquelles passent les futurs pères pendant la période de grossesse, il n'est guère étonnant que certains transforment leurs problèmes et leurs émotions en manifestations physiques. Parmi les causes principales d'apparition de ce phénomène, on peut citer :

Les sentiments d'empathie ou de culpabilité associés à la situation de la compagne

De tout temps, les hommes ont été entraînés à résister à la douleur et aux malaises. Lorsqu'une personne aimée souffre et que nous ne pouvons rien faire pour la soulager, notre tendance naturelle (et sans doute irrationnelle) est donc de tenter de prendre cette souffrance à notre compte. Le père de l'un de mes bons amis a, par exemple, souffert de violents maux de tête pendant les derniers mois de chacune des trois grossesses qu'il a vécues.

La jalousie

Tout au long de sa grossesse, votre compagne recevra sans doute plus de marques d'attention que vous. Beaucoup d'hommes qui développent les symptômes de couvade le font avec le sentiment inconscient d'attirer l'attention sur eux. Mon père, qui faisait les cent pas dans la salle d'attente pendant que ma mère était en travail, s'est soudain mis à saigner violemment du nez. En quelques secondes, la salle où ma mère était en train d'accoucher s'est vidée et trois infirmières suivies de deux médecins ont volé au secours de mon pauvre père. Je suis certain qu'il ne l'avait pas fait exprès, mais pour un bref instant, au cours de l'accouchement, mon père fut l'unique objet de toutes les attentions.

Un peu d'histoire

Bien des chercheurs pensent aujourd'hui que, dans nos sociétés occidentales, les symptômes de la couvade apparaissent inconsciemment chez les pères qui en sont affectés. Mais si l'on se reporte en l'an 60 A.C. (le phénomène se perpétue cependant encore de nos jours dans certaines sociétés non occidentales), la couvade était pratiquée au cours de rituels conçus tout spécialement pour associer les pères à cet événement qu'est la naissance. Ces rituels n'étaient pas toujours bienveillants à l'égard des femmes. W.R. Dawson écrit qu'au cours du premier siècle, la mère était systématiquement ignorée au moment de la naissance tandis qu'on veillait le père alité. Plus récemment, en Espagne et ailleurs, les mères accouchaient fréquemment au milieu des champs où elles travaillaient et ne rentraient ensuite chez elles que pour s'occuper du père du bébé.

Dans d'autres cultures, les hommes s'efforçaient de réaliser ce qu'ils tentent encore de faire aujourd'hui : protéger leur compagne de la douleur en attirant le mal sur eux. En France et en Allemagne, par exemple, on faisait porter aux femmes enceintes les vêtements de leur mari, croyant que, de la sorte, leurs douleurs seraient transférées au propriétaire de ces vêtements. Les Écossais du dix-huitième siècle étaient persuadés que les sages-femmes avaient le pouvoir de transférer, par sortilèges, les douleurs de la mère vers le père.

L'aspect le plus intéressant du rituel de la couvade est peut-être l'importance attachée au lien supranaturel entre le père et le bébé à naître. On était convaincu que tout ce que le père pouvait faire pendant la période de gestation avait une influence directe sur l'enfant. À Bornéo, les futurs pères ne mangeaient rien d'autre que du riz et du sel, régime qui était supposé protéger l'estomac du futur bébé du gonflement. Dans d'autres contrées, on croyait qu'un homme qui plantait un clou pendant la période de gestation de sa femme préparait à celle-ci un accouchement long et pénible et que, s'il fendait du bois, son enfant serait à coup sûr affligé d'un bec-de-lièvre. Pour ne pas rendre son enfant aveugle, le père en devenir devait se garder de manger la viande d'un animal ayant donné naissance à un jeune affecté de cécité. Il devait aussi éviter les tortues afin que son enfant ne naisse ni sourd, ni anencéphale.

Il est assez douteux que ces rituels puissent jamais réduire les douleurs de l'enfantement chez la mère ou les éventuelles difformités chez l'enfant, mais ils illustrent un point important : depuis des millénaires, les hommes se sont toujours efforcé de s'associer et de rester associés au processus de la grossesse et de la naissance. Bronislav Malinowski notait dans *Sex and Repression in Savage Society* :

> « Même l'idée apparemment absurde de la couvade nous révèle une signification profonde et une fonction nécessaire. Elle est d'une haute valeur biologique pour la famille humaine, aussi bien pour le père que pour la mère ; si les coutumes et les règles traditionnelles sont là pour garantir une situation sociale d'étroite proximité morale entre le père et l'enfant, si toutes ces coutumes visent à attirer l'attention de l'homme sur sa progéniture, la couvade, qui pousse l'homme à simuler les douleurs de l'enfantement et les maladies de la maternité, est d'une grande valeur et procure le stimulus et l'expression nécessaires pour les tendances paternelles. La couvade et toutes les coutumes de ce genre servent à souligner le principe de légitimité, la nécessité d'un père pour l'enfant. » (*Traduction libre*)

Ce que vous pouvez faire
Annoncer la nouvelle

Le fait de répandre la nouvelle ajoutera encore à la réalité de la grossesse (telle qu'elle est perçue à ce moment tout au moins). À la fin du troisième mois, j'avais assez bien surmonté mes appréhensions relatives à la fausse couche ou à d'autres accidents de grossesse et nous avions estimé que le moment était venu de faire part de la nouvelle à nos familles et à nos amis intimes. D'une certaine façon, le simple fait de dire «Ma femme est enceinte» (un peu plus tard, j'annoncerai plutôt: «Nous attendons un bébé») m'a moi-même aidé à intérioriser la chose.

Garder le secret

En dépit de votre mutisme volontaire, votre entourage et avant tout vos amis intimes ne manqueront pas de formuler des hypothèses. Si vous voulez réellement que la nouvelle ne transpire pas, voici quelques règles à garder à l'esprit:

- Évitez de faire allusion à son «état» ou à son «besoin de repos». C'est exactement ainsi que, par inadvertance, j'ai vendu la mèche à un ami qui m'avait demandé si nous aimions pratiquer tel exercice au centre sportif.

- Restez discrets en modifiant vos habitudes. Si, avant sa grossesse, votre compagne avait coutume de prendre un petit verre ou de griller une cigarette, demandez-vous comment les amis et la famille réagiraient en constatant sa soudaine sobriété. Alors que ma femme attendait notre seconde fille, nous avions convenu avec quelques connaissances de nous retrouver au bar un samedi soir. Personne ne remarqua que ma femme ne buvait que de l'eau minérale au lieu de sa bière habituelle. Mais lorsqu'elle réclama un verre de lait glacé, le secret fut dévoilé...

La décision de dévoiler votre secret est importante. Certains sont superstitieux et préfèrent reporter aussi tard que possible ce moment. D'autres saisissent le téléphone dès qu'ils sortent du lit. Même si vous appartenez à la première catégorie, il faudra bien vous décider à révéler tôt ou tard la nouvelle, et la fin du troisième mois me semble convenir à merveille.

À qui vous le direz et dans quel ordre est votre affaire. Il y a pourtant quelques règles dont il faut tenir compte :

La famille

Sauf si vous avez une raison péremptoire de ne pas le faire, il est souhaitable d'avertir votre famille en premier lieu. Vos amis intimes vous pardonneront s'ils ont vent de la nouvelle par l'intermédiaire de Tante Ida, mais si elle circule en sens inverse, la tante pourrait ne jamais vous le pardonner. Dans certains cas seulement, dévoiler d'abord le secret à la famille pourrait ne pas être une bonne idée. Un couple de nos amis, Laurent et Alberte, gardèrent le secret de leur grossesse vis-à-vis de leurs amis pendant cinq mois et vis-à-vis de leur famille pendant plus longtemps encore, espérant que le frère et la belle-sœur de Laurent, qui cherchaient depuis des années à avoir un enfant, y réussiraient entre-temps.

Les amis

Si, malgré tout, vous décidiez d'avertir vos amis en premier lieu, assurez-vous de leur discrétion absolue car les bonnes nouvelles se répandent plus vite que vous ne l'imaginez. Comme dans vos relations avec votre parenté, soyez prudent vis-à-vis d'amis qui ont essayé eux aussi, mais sans le succès dont vous jouissez.

LE BUREAU

En même temps que vos amis, vous souhaitez sans doute avertir de la nouvelle vos collègues et votre patron éventuels. Rappelez-vous toutefois que les entreprises appliquent à leur personnel masculin quelques règles strictes quant aux contrecoups tolérables des soucis familiaux sur le métier (voir la section « Emploi et famille », pages 113 à 119, pour plus d'information). Quoi que vous décidiez dans ce cas, n'attendez pas la dernière minute, surtout si vous envisagez de prendre quelques jours de congé ou de modifier vos heures de présence au bureau après la naissance.

VOS AUTRES ENFANTS

Si vous avez d'autres enfants, laissez-leur largement le temps de s'accoutumer à l'idée de la future naissance. Toutefois ne leur annoncez pas la nouvelle avant que tous les intéressés n'aient été avertis. Jusqu'à l'âge de six ans, les enfants ne dominent pas encore la notion de « secret. » À quatre ans, l'une de nos joies intenses consiste à confier à l'oreille de quelqu'un une chose qu'on nous a prié de taire.

Si cela est possible, il est préférable d'enrôler vos autres enfants dans le processus de la grossesse. Notre fille aînée nous a accompagnés dans la plupart de nos visites chez le médecin et a eu l'occasion de manipuler l'appareil Doppler qui permet d'entendre les battements du cœur du fœtus. Elle a également aidé le médecin à mesurer l'évolution du ventre de mon épouse. Enfin, sachez qu'il est parfaitement normal pour des futurs frères et sœurs de prétendre qu'ils attendent un bébé tout comme Maman. En voulant à toute force les détromper, ils pourraient se sentir rejetés et manifester du ressentiment envers le bébé. Cela est particulièrement vrai pour les jeunes garçons.

Quels que soient le moment et la manière dont vous vous y prenez, l'annonce de la venue d'un bébé provoquera une avalanche de félicitations et de « bons » conseils ; au bout de quelques semaines, vous imaginerez sans peine de quoi telle ou tel vous parlera. Presque tout le monde aura son avis à donner sur ce que vous devez ou ne devez pas faire désormais. On vous contera de délicieuses histoires et d'autres vraiment horribles, souvent aussi ennuyeuses les unes que les autres, au sujet de la grossesse et de la naissance. Vous devrez probablement aussi subir les éternelles

Et si vous n'êtes pas mariés ?

Même en ce début du troisième millénaire, et alors qu'il est courant pour les couples de vivre ensemble avant de se marier, avoir un enfant hors mariage en fait encore tiquer plus d'un. Certains de vos parents ou amis, pourtant dotés d'une grande largeur d'esprit, vous surprendraient sans doute en suggérant de faire de votre compagne une « honnête femme » avant la naissance du bébé. Efforcez-vous de garder votre sens de l'humour à ce propos. Votre compagne et vous-même êtes des adultes capables de prendre les décisions que vous jugez les meilleures. De toute manière, la plupart des futurs parents non mariés constatent que la joie de leur parenté à l'idée de la naissance d'une nouvelle nièce ou d'un nouveau neveu, ou de futurs petits-enfants, contrebalance largement leur déception devant l'absence de certificat de mariage.

blagues sur votre virilité ou les spéculations sur l'identité du « véritable » père, assorties de sous-entendus sur le facteur ou le laitier, émanant hélas ! d'autres hommes. Il n'est pas surprenant que, face à de telles attitudes, soixante pour cent des hommes entretiennent quelque doute, fût-il léger, sur leur paternité.

Depuis la révélation de la nouvelle auprès des amis et de la famille, ma femme et moi avons remarqué certains changements dans nos relations avec les uns et les autres. Ce qui avait été pour nous un secret intime était maintenant tombé dans le domaine public et tous voulaient le partager avec nous. Chacun faisait irruption sans avertissement, apportant cadeaux et conseils, simplement pour voir « comment allaient les choses », et le téléphone ne cessait pas de sonner.

Après quelques jours, votre compagne et vous commencez à vous lasser de ces visites impromptues et parfois inopportunes. Dans ce cas, n'hésitez pas à établir des règles comme celle, par exemple, de demander à vos parents et amis de prévenir de leur arrivée par un petit coup de fil. Vous pourriez aussi, en le faisant savoir à tous, établir un horaire pour les visites.

Préparez-vous surtout à l'idée de vous sentir personnellement hors jeu. Tous, ou presque, vous demanderont comment se porte votre compagne, ce qu'elle ressent, etc. Peu, s'il en est, poseront les mêmes questions à votre sujet. Si vous avez le sentiment que vous êtes traité comme un spectateur plutôt que comme un partenaire de grossesse, vous pouvez adopter l'une des trois attitudes suivantes. D'abord, il vous est loisible d'ignorer la chose. Personne, en effet, n'essaie délibérément de vous exclure, mais il ne vient tout simplement pas à l'esprit du commun des mortels qu'au moins à ce stade, la grossesse puisse vous affecter réellement. En deuxième lieu, vous pouvez bouder. Bien que parfois intérieurement satisfaisante, cette attitude n'est pas celle qui suscitera le genre d'attention que vous souhaitez. Le troisième comportement possible consiste à adopter un rôle actif en prenant l'initiative d'expliquer pourquoi et comment la grossesse vous touche directement. Faites part de votre enthousiasme, de vos espoirs et de vos craintes à vos amis, particulièrement à ceux qui ont déjà des enfants et qui peuvent vous donner des conseils. Il se peut même qu'ils vous demandent de rafraîchir leur mémoire sur ce qu'ils ont naguère ressenti eux-mêmes.

Vos relations intimes

La communication

La période de grossesse n'est pas seulement un temps de joie intense et d'attente, c'est aussi une période de grand stress. Votre compagne et vous êtes tous deux dans la même attente de la même naissance, pourtant, vous ne vivez pas ce laps de temps de la même façon ni au même rythme, et cela pourrait conduire à un nombre croissant de malentendus et de conflits entre vous.

Comme l'écrit le Dr Shapiro, lorsqu'un couple se mue en une famille, « souvent, les bonnes choses deviennent meilleures, mais les moins bonnes deviennent pires ». À mesure que progresse la grossesse, il est indispensable d'apprendre à se parler – et à s'écouter – l'un l'autre pour trouver des moyens de s'épauler mutuellement le long de cette route merveilleuse, mais très fluctuante sur le plan des émotions.

À l'homme, on a inculqué le principe de protéger sa compagne. Lorsque celle-ci est enceinte, la protection devrait naturellement s'étendre à la réduction des niveaux de tension dans les aléas de la vie. Pour l'homme, la façon de se conformer à cet objectif est de taire ses propres préoccupations. Les chercheurs Carolyn et Philip Cowan soutiennent que l'homme, en évoquant ses propres préoccupations, craint non seulement d'angoisser sa compagne, mais aussi de mettre en évidence sa propre vulnérabilité au moment où il devrait se montrer fort vis-à-vis d'elle.

Ces mêmes chercheurs ont également découvert que cette attitude de surprotection à connotation machiste engendre certains effets secondaires fort négatifs. D'abord, comme nous ne nous permettons jamais de parler de nos propres craintes, nous ne nous rendons jamais compte de leur caractère parfaitement sain et normal. En outre, notre compagne n'a ainsi jamais l'occasion de savoir que nous comprenons et que nous partageons ses propres sentiments.

SUPPOSITIONS DANGEREUSES

Lorsque j'étais dans les *Marines*, l'un des commentaires favoris de mon sergent-instructeur était le suivant : « Ne faites jamais de suppositions. Avec des suppositions, je pourrais être un âne et vous aussi. » Sa prononciation, comme sa philosophie, avait la rugosité des gens du terroir, mais il avait raison en ce qui a trait au risque de formuler des hypothèses.

Voici quelques points importants pour lesquels vous supposeriez qu'il n'y a aucun problème. Certes, tous ne sont pas d'importance égale, mais si vous n'y avez jamais réfléchi, faites-le maintenant.

- **Votre implication dans la grossesse** Le Dr Katharyn Antle May soutient qu'il y a trois modèles fondamentaux d'implication du père dans la période de grossesse. Le père *spectateur* se tient émotivement détaché et se considère principalement comme un observateur. Le père *engagé* est émotivement très impliqué et s'attribue le rôle de partenaire à part entière. Enfin, le père *organisateur* se pose en gestionnaire de la grossesse, désireux de planifier chaque rendez-vous médical, chaque repas et chaque séance de gymnastique. Quel que soit votre style, parlez-en avec votre compagne. Après tout, elle est enceinte, elle aussi.

- **Votre participation aux tâches familiales** De quelle part des soins au bébé êtes-vous prêt à vous charger après la naissance ? Qu'espère votre compagne à ce sujet ? Qu'attendez-vous d'elle ? Diverses études ont montré que, jusqu'à un certain point, la femme gère l'implication de son conjoint dans les soins domestiques. Si elle désire lui voir prendre une part active aux soins de bébé, souvent, il le souhaitera également. Et si elle préfère se réserver ces activités, il lui donnera son accord. Pour leur part, les Cowan ont noté que les hommes qui participaient aux tâches ménagères et aux soins de bébé avaient tendance à se sentir mieux dans leur peau vis-à-vis d'eux mêmes et de leur famille que ceux qui conservent une attitude passive.

- **La religion** Il se peut que ni vous-même ni votre compagne n'ayez encore réfléchi à la question de donner ou non une éducation religieuse à votre enfant. Si vous y avez déjà songé, assurez-vous d'avoir toujours la même opinion ; dans le cas contraire, il serait bon de commencer à y réfléchir.

- **Les punitions** Que pensez-vous des corrections ? Faut-il en donner ou non ? Qu'en pense votre compagne ? La façon dont vous avez été élevé aura une grande influence sur votre comportement vis-à-vis de vos propres enfants.

- **L'endroit de repos du bébé** Il n'est jamais trop tôt pour réfléchir aux dispositions à prendre pour le sommeil de bébé. Dormira-t-il dans votre lit ? Dans un berceau à côté de vous ? Dans une chambre à part ?

- **Vos métiers respectifs et la garde de l'enfant** Votre compagne a-t-elle l'intention de s'accorder quelque repos après la naissance et avant la reprise de son travail ? Pendant combien de temps ? Aimeriez-vous aussi prendre un peu de congé ? Pendant combien de temps ? Quel type d'arrangements comptez-vous prendre pour la garde de l'enfant ?

- **Les finances** Vous faut-il l'équivalent de deux salaires pour payer les charges hypothécaires ? Si un seul suffit, lequel utiliserez-vous à cette fin ?

Pendant la période de gestation, rappelez-vous ceci :

- **Le monde des sentiments** Parlez entre vous du bonheur d'avoir un enfant, de vos rêves, de vos projets d'avenir, de vos appréhensions, de vos soucis et de vos hésitations, et du niveau de satisfaction que vous procure votre implication dans la grossesse. Mais n'oubliez pas de demander à votre compagne ce qu'elle pense de ces mêmes points. Discutez de tout cela régulièrement, car ce que vous pensez et ressentez au cours du troisième mois peut être complètement différent de ce que vous penserez et ressentirez au long des mois qui suivront. Aussi difficile que cela puisse paraître, apprendre maintenant à communiquer entre vous vous sera utile au cours des années à venir.

Un peu de recul...

Vous trouverez peut-être écrasante la charge ainsi assumée, au point de ressentir le besoin irrépressible de vous aérer un moment. Dans ce cas, profitant de l'avantage qui vous est donné de rester svelte et alerte, prenez un peu de congé. Retirez-vous dans un endroit calme où vous pourrez rassembler vos idées ou faites quelque chose qui vous permette d'échapper pour un moment aux conversations interminables sur les femmes enceintes et les bébés. Avant de vous échapper, cependant, assurez-vous que votre compagne soit bien au courant de vos projets d'évasion. Et quoi que vous fassiez, veillez à ne pas retourner le couteau dans la plaie : elle aussi donnerait probablement n'importe quoi pour pouvoir jouir d'une pause de quelques heures.

Voici quelques suggestions sur ce que vous pourriez faire de votre temps libre :

- Défoulez-vous avec quelques amis célibataires et sans enfants.
- Consignez dans un journal vos impressions relatives à la période de grossesse.
- Pédalez en roue libre et décompressez.
- Avalez des kilomètres à pied ou en voiture, à la mer ou dans les bois.
- Redevenez enfant pour un instant et claquez quelques dollars dans les machines à sous.

Un enfant à l'horizon

L'état de votre compagne

Physiquement

- L'aréole des seins prend une teinte plus foncée
- L'appétit revient à mesure que les nausées disparaissent
- Maladresse – elle laisse tomber ou renverse les choses
- Pourrait déjà ressentir quelques légers mouvements, mais elle n'associe pas encore ces sensations à la présence du bébé, sauf si elle a l'expérience de gestations précédentes

Émotivement

- Manifeste de l'enthousiasme à la vue du sonogramme (échographie)
- Les craintes d'une éventuelle fausse couche s'estompent
- Elle se préoccupe de la signification réelle de la maternité
- Les distractions et les sautes d'humeur persistent
- Elle se sent de plus en plus dépendante de vous, elle a besoin d'être rassurée sur la stabilité de votre amour et de votre présence à ses côtés

L'état du bébé

Au cours du quatrième mois, la taille du bébé va atteindre une dizaine de centimètres. Le cœur achève son développement et va se mettre à battre à quelque cent vingt ou cent soixante coups par minute, environ deux fois plus vite qu'un cœur adulte. Le bébé peut déjà discerner si sa mère consomme des produits à saveur acidulée ou sucrée. Il réagit à la lumière : si vous dirigez une lumière vive sur le ventre de votre compagne, le bébé s'en détournera.

Et vous dans tout cela ?

La réalité de la grossesse se précise

À mesure que le quatrième mois se déroule, la plupart des futurs pères se trouvent encore dans ce que la D^{re} Katharyn May désigne par la phase de « sursis » de la grossesse : mentalement, nous savons que notre compagne est enceinte, mais nous n'en avons encore aucune confirmation tangible. Évidemment, il y a eu le test de grossesse, l'examen du sang, les examens pelviens, le gonflement du ventre et des seins, les envies alimentaires, et le battement du cœur du bébé, le mois dernier, mais malgré ces indices, je demeurais encore sous l'impression que tous ces signes restaient un peu abstraits.

Tout changea le jour mémorable où ma femme a passé une échographie et où nous avons pu voir battre ce petit cœur et remuer ces membres mignons. J'ai alors eu la conviction qu'à la fin du compte, nous pourrions bien être dans l'attente d'une prochaine naissance.

Pourrons-nous vraiment y faire face ?

À la fois amusant et, dans notre cas, rassurant, le test ultrasonique me tranquillisa complètement : après avoir compté les doigts et les orteils, ce qui n'est guère chose facile de par leur petitesse et leur mobilité, j'ai compris que je n'aurais plus à me demander si notre bébé serait ou non normal.

Mais ce sentiment nouveau de tranquillité ne devait pas durer très longtemps : aurions-nous les moyens de faire face à nos obligations futures ? question qui n'est pourtant que normale dans l'esprit de tout père en puissance.

Les sociétés nord-américaines apprécient l'homme davantage pour son apport financier que pour sa position sentimentale au sein de la famille. On n'attend pas de lui qu'il exprime des sentiments intenses, fût-ce d'anxiété ou de crainte, même lorsque sa compagne est enceinte. C'est pourquoi, à mesure que la grossesse progresse, la plupart des futurs pères se réfugient dans la façon la plus classiquement masculine d'exprimer leur sollicitude à l'égard du bien-être de leur femme et des petits fœtus : ils ont à cœur les ressources financières de la famille.

Certains hommes convertissent ces soucis financiers en obsession pour le travail, pour la rémunération qui y est associée, pour la dimension de leur maison et même pour les fluctuations de taux d'intérêt. Les futurs pères s'obligent fréquemment à faire de nombreuses heures supplémentaires ou entreprennent un second travail ; d'autres se laissent tenter par la loterie ou par l'argent facilement gagné. Certains agents d'assurance ou conseillers financiers tentent parfois de profiter des soucis du futur père en matière financière pour le pousser à prendre des assurances dont il n'aura nul besoin ou des engagements que ni lui ni sa famille ne pourront honorer. Il est certain que l'arrivée d'un nouveau-né, conjuguée à la réduction des revenus familiaux pendant le congé de la mère, peut peser sur la situation financière du ménage. Mais il n'empêche, écrivent Libby Lee et Arthur D. Colman, auteurs de *Pregnancy : The Psychological Experience,* que les préoccupations financières des hommes excèdent souvent le niveau des besoins réels de la famille. Elles n'existent, disent-ils, que parce qu'elles constituent l'une des choses que l'homme est censé faire. Une telle agitation pourrait cacher un malaise psychologique plus profond en matière de compétence et de confiance en soi.

Sécurité – celle de votre compagne et celle du bébé

Comme si le problème des finances n'était pas suffisant, de nombreux pères en attente d'une naissance se font en même temps du souci au sujet de la santé physique des autres membres de leur famille, mais négligent leur propre santé. Diverses études ont montré que, lorsque leur compagne est enceinte, les hommes consultent le médecin beaucoup moins fréquemment que d'habitude.

J'avais personnellement vu les résultats des examens par échographie et je savais que le bébé était en bonne forme. J'avais aussi lu qu'à ce stade de la grossesse, il y avait très peu de risques de fausse couche. Pourtant je m'inquiétais. J'interrogeais ma femme sur la quantité de protéines qu'elle prenait, je lui rappelais ses séances de gymnastique. Je m'inquiétais même de la position dans laquelle elle dormait : dormir sur le dos n'est pas une bonne idée car le poids de l'utérus et du bébé qu'il contient comprime les intestins vers l'arrière ainsi qu'une veine importante, la veine cave inférieure, et peut causer des hémorroïdes et même interrompre l'apport d'oxygène ou de sang tant au bébé qu'à la future maman. En bref, j'étais devenu un véritable casse-pieds, un vrai fléau...

Un petit conseil. Si vous vous sentez par trop inquiet, et protecteur à l'excès, tant vis-à-vis de votre compagne que du bébé, faites un effort pour vous détendre. Votre compagne a probablement les mêmes préoccupations que vous. Si vous persistez à vous tracasser, discutez du problème avec son praticien lors du prochain rendez-vous.

Ce que vous pouvez faire

Accordez-lui toute votre attention

Bien que chaque femme enceinte ait des besoins et des désirs spécifiques, il y a beaucoup plus de points communs entre elles que vous pourriez l'imaginer. Votre compagne a fondamentalement besoin – et plus que jamais – de trois choses, et ce pour le reste de la grossesse : l'expression verbale et physique de votre attachement, de votre admiration et de votre soutien, votre compréhension à l'égard de l'évolution de son état physique (faim, fatigue, douleurs musculaires et autres), enfin l'assurance de vos sentiments d'affection et d'enthousiasme à l'égard du bébé et de vos futures responsabilités.

Comment lui prouver votre sollicitude

Voici quelques idées qui vous aideront à hausser votre cote d'excellence à la maison (et à faire de votre compagne un sujet d'envie pour toutes ses amies) :

- Offrez de lui masser le dos et les pieds.
- Suggérez-lui l'une ou l'autre sortie qu'elle s'accordera plus difficilement lorsque le bébé sera né, le cinéma ou un concert par exemple.
- Offrez-lui des roses, juste pour le plaisir.

- Passez l'aspirateur – y compris sous le lit – sans qu'elle ne vous le demande.

- Embrassez-la souvent. Les recherches révèlent que plus souvent vous l'embrassez, plus elle embrassera souvent le bébé.

- Offrez-lui un flacon de bain-mousse hydratant.

- Si vous êtes en voyage d'affaires, arrangez-vous pour que des amis l'invitent à dîner.

- Proposez-lui de ramener une pizza au retour de votre travail et faites-lui la surprise d'y joindre une pinte de son yogourt favori.

- Offrez-lui de magasiner pour elle (de passer chez le nettoyeur, chez l'épicier ou chez le pharmacien, etc.)

- Faites la lessive avant qu'elle ne s'amoncelle.

- Dites-lui que vous pensez qu'elle fera une merveilleuse maman.

- Si elle rentre le soir après vous, attendez-la chandelles et cidre sur la table.

- Écrivez-lui une lettre d'amour et envoyez-la-lui par la poste.

- Achetez un jouet ou un vêtement pour le bébé, sous emballage-cadeau, et laissez-le-lui déballer.

- Offrez-lui une jolie robe de maternité.

- Faites une promenade avec elle.

- Apprenez la méthode de réanimation cardio-respiratoire.

- Proposez-lui à nouveau un massage du dos.

- Si vous fumez, cessez de le faire.

- Dites-lui combien elle est jolie.

- Veillez à ce qu'elle ait toujours quelque chose à croquer ; préparez une légère collation à son intention avant de sortir à deux pour une promenade ou pour une soirée.

- Dressez une liste de vos prénoms favoris ou offrez-lui un intéressant répertoire des prénoms.

- Faites un dessin ou écrivez une lettre pour le bébé à naître.

- Proposez d'organiser une entrevue avec des candidats ou candidates à la garde d'enfants.

- Offrez-lui un cadeau à l'occasion de la fête des mères.

- Tenez un journal, sur papier ou enregistré sur cassette, de ce que vous pensez et ressentez au cours de la grossesse.

- Proposez-lui un abonnement à une revue de puériculture.

- Visitez avec elle la pouponnière de l'hôpital.

- Aidez-la à libeller les faire-part de naissance.

- Apprenez à préparer des mets simples.

- Invitez-la à nager dans un endroit particulièrement agréable.

- Si vous avez déjà d'autres enfants, emmenez-les au parc pour lui permettre de se détendre en paix ou de faire les emplettes qu'elle avait dû remettre à plus tard.

- Faites-lui la surprise d'un déjeuner au lit le dimanche matin ou, un beau jour de semaine, levez-vous cinq minutes plus tôt et préparez-lui un cocktail énergétique.
- Faites une donation à un hôpital pour enfants.
- Faites une donation à une école.
- Parlez de vos angoisses avec votre femme et écoutez-la vous confier les siennes, même si elles vous semblent anodines.
- Peignez ou tapissez la chambre de bébé.
- Préparez la table à langer et le berceau.
- Installez des détecteurs de fumée dans la maison.
- Faites un nouveau testament et incluez-y le bébé.
- Inscrivez-vous ensemble à un club santé.
- Réorganisez les placards et prévoyez la place pour les affaires du bébé.
- Téléphonez-lui pendant la journée pour lui dire que vous l'aimez.
- Offrez-lui quelques-uns de ses enregistrements favoris, à écouter pendant l'accouchement.

La lampe est allumée et quelqu'un veille

L'état de votre compagne

Physiquement

- Elle sent les mouvements du bébé – et les reconnaît parfaitement
- Elle peut ressentir des tensions indolores de l'utérus (contractions de Braxton-Hicks)
- Les aréoles continuent à foncer ; apparition de ligne sombre partant du nombril vers le bas-ventre

Émotivement

- Est très rassurée par les mouvements du bébé et moins inquiète quant à l'éventualité d'une fausse couche
- Elle développe des sentiments étroits avec le bébé
- Elle est préoccupée par les modifications de son physique
- Accroissement des désirs sexuels
- Dépendance accrue vis-à-vis de vous
- Sentiments de jalousie (après tout, jusqu'à présent c'était sa grossesse à elle)

L'état du bébé

Le bébé peut désormais ouvrir et fermer les yeux. Ses cils et ses cheveux commencent à pousser. Il mesure une bonne vingtaine de centimètres, joue des pieds et des mains, attrape le cordon ombilical et parvient même à sucer son pouce. À ce stade, il peut même, ô merveille ! entendre des sons et des bruits extérieurs.

Et vous dans tout cela ?

Je vais être père ! Est-ce bien vrai ?

Même après avoir vu le bébé par échographie, il m'était encore difficile de croire que j'allais réellement être père (falsifier une échographie doit être faisable, je présume). Mais lorsque ma femme a saisi ma main et l'a déposée sur son ventre pour me faire sentir un léger petit coup de pied, j'ai pris conscience de la réalité. Puis, comme d'habitude, après l'emballement du premier moment, j'ai commencé à me tracasser.

La paternité, c'est sérieux

Après ce premier petit coup de pied, l'idée que je n'étais guère préparé à devenir père commença à me tarauder l'esprit. Je souhaitais toujours avoir des enfants, J'ai soudain perçu que dans quatre mois seulement j'aurai à faire face au plus grand défi jamais affronté. Je me comparais au trapéziste qui se lance sans filet dans un triple saut arrière.

J'avais beaucoup lu sur la grossesse et l'accouchement, mais je n'avais encore aucune notion du rôle réel du père. N'est-il pas étrange – insensé même – qu'il faille des années d'apprentissage et des dizaines de tests avant d'obtenir le moindre emploi, mais qu'absolument aucun examen n'est exigé pour la profession tellement plus importante de père ?

Sentir les premiers mouvements du bébé peut vous inciter bien plus à consulter des livres sur la grossesse, si vous ne l'avez déjà fait auparavant. Comme d'ailleurs de passer plus de temps avec des amis ou des relations qui ont l'expérience des jeunes enfants, ou simplement d'observer comment d'autres hommes se comportent vis-à-vis de leur progéniture.

Un peu d'introspection

Vous avez eu récemment de nombreux sujets de réflexion – votre nouveau rôle de père, la sécurité de votre compagne et du bébé – ne vous étonnez donc pas si vous commencez maintenant à vous préoccuper de vos propres pensées, parfois même à l'exclusion de tout autre sujet... y compris de votre compagne.

Bien que ce retour sur vous-même soit parfaitement normal, efforcez-vous de ne pas perdre le contact avec elle. Si possible, faites-lui part de vos préoccupations, ce qui vous aidera du même coup à vous tranquilliser. (Si cela vous paraît difficile au début, relisez la section concernant « Vos relations intimes » aux pages 81 à 84.)

Cependant, rappelez-vous qu'elle peut avoir besoin de sécurité, de savoir que vous ne l'abandonnerez pas, émotivement parlant, de souhaiter que vous lui confirmiez votre amour. Soyez à l'affût de ses allusions, qu'elles soient subtiles ou non, et faites en sorte de lui accorder toute l'attention dont elle a besoin. Si vous oubliez ce point, elle pourrait supposer que vous la négligez. Comme Arthur et Libby Colman le constatent, l'homme qui ignore les anxiétés de sa partenaire pourrait s'apercevoir que le ton est en passe de tourner à l'aigre lorsqu'il s'entend répondre de manière condescendante « Tout ira bien, Chéri ».

Ce que vous pouvez faire

Communication prénatale

Nous l'avons vu plus haut, l'établissement d'une bonne communication entre conjoints est une condition indispensable de réussite dans votre compréhension du phénomène « grossesse ». Mais que penser de la communication avec le bébé ? Bien que l'idée elle-même puisse paraître quelque peu farfelue, des chercheurs ont découvert que plusieurs mois avant la naissance, les fœtus sont déjà extrêmement sensibles à ce qui se passe à l'extérieur.

Pour votre compagne, communiquer avec l'enfant est différent ou du moins plus facile que pour vous. Il existe entre elle et lui une connexion physique et elle peut lui parler, lui fredonner des chansons et le caresser jour et nuit à travers son ventre. Mais ce n'est pas parce que votre accès au bébé est comparativement moins aisé que vous ne pouvez communiquer avec lui.

Dès le sein de leur mère, les enfants entendent des sons. Dans une étude, un obstétricien introduisit un microphone à l'intérieur de l'utérus d'une femme enceinte en période de travail (après rupture de la poche des eaux) et y enregistra les sons extérieurs audibles de l'intérieur. Il obtint des enregistrements clairs, non seulement des voix ainsi que des sons originaires du corps de la mère, mais aussi de la neuvième symphonie de Beethoven qui était diffusée dans la salle d'accouchement.

Entendre est une chose, mais les bébés peuvent-ils être réellement affectés par ce qu'ils entendent alors qu'ils sont encore dans le sein de leur mère ? Oui certes. Le chercheur Anthony DeCasper a demandé à seize femmes enceintes de s'enregistrer en train de lire à haute voix un poème intitulé

« The King, the Mice and the Cheese » et deux extraits différents de *The Cat in the Hat* du Dr Seuss. Il pria ensuite chacune de choisir l'un des trois textes (le choix s'est révélé à peu près équilibré entre les participantes) et de faire entendre ce texte pendant les six ou sept dernières semaines de leur grossesse trois fois par jour à l'intention de l'enfant qu'elles portaient.

Trois jours après leur naissance, DeCasper offrit aux poupons de choisir entre l'histoire qu'ils avaient entendue plus de cent fois avant leur naissance et l'une des deux autres histoires. Comme des bébés de cet âge ne sont pas encore capables de s'exprimer, DeCasper utilisa un « suço-mètre », sorte de sucette spécialement conçue pour déceler, par modification de la fréquence des mouvements de succion, laquelle des histoires les bébés préféraient. Quinze

Recommandations concernant la communication prénatale

- Ayez du tact vis-à-vis de votre compagne. Vous avez le droit de parler à votre enfant, mais elle a aussi droit à son intimité.

- Essayez de surmonter l'idée que ce que vous faites est ridicule.

- Ne chuchotez pas. Parlez clairement à l'enfant comme si quelqu'un, dans la pièce, devait pouvoir vous entendre.

- Ne faites pas d'essais si quelque chose vous ennuie. L'enfant le détecterait au ton de votre voix.

- Prenez plaisir à ce que vous faites.

des seize bébés testés optèrent pour l'histoire qu'ils avaient entendue avant leur naissance. Cela vous convaincra sans doute de ce qu'avant la naissance, la lampe est déjà allumée et que quelqu'un veille…

Pourquoi donc essayer de communiquer avec le fœtus en cours de développement ? D'abord parce que c'est amusant. Le soir, je mettais souvent les mains sur le ventre de ma femme, je m'adressais à la jeune résidente du lieu pour lui raconter ce que j'avais fait pendant la journée. Parfois, je faisais même avec elle des exercices de calcul. Je frappais un petit coup sur la paroi du ventre en disant « un. » La plupart du temps, nous recevions un petit coup de pied en retour. Quelques secondes plus tard, je frappais légèrement deux fois en disant « deux. » Souvent, nous recevions deux petits coups de pied en retour.

La deuxième raison est que la communication vous aide à établir un lien avec le bébé dès avant sa naissance. C'est même le moyen de donner un caractère plus tangible à la grossesse. Je dois admettre qu'au début, l'idée me paraissait un peu absurde. Mais après quelque temps, je m'y suis accoutumé et j'ai fini par me découvrir une réelle affinité pour le bébé. Un de mes amis a, pour sa part, trouvé qu'une communication fréquente avec sa fille dès avant la naissance créait avec celle-ci un lien affectif étroit. Lorsqu'elle est née, il a décrit leur première prise de contact « comme la rencontre de quelqu'un avec qui vous avez déjà communiqué par téléphone ».

Réciproquement, la communication prénatale favorisera l'établissement de liens entre le bébé et vous. Bien des pères sont jaloux de la relation qui s'établit immédiatement entre l'enfant et sa mère. Il semble bien que cette relation privilégiée trouve surtout son origine dans le son de la voix de la mère, entendu chaque jour par le bébé pendant neuf mois. Le Dr Casper, dans une seconde étude «suçométrique», trouva que neuf nouveau-nés sur dix préfèrent écouter une histoire enregistrée par leur propre mère plutôt que la même histoire dite par une autre femme. En habituant le bébé à entendre votre voix, celui-ci sera capable d'établir immédiatement un lien affectif avec vous.

La troisième raison de tenter de communiquer avec l'enfant dès avant la naissance est que certains indices montrent que vous pourriez ainsi influencer la personnalité de votre enfant. Boris Brott (oui, nous avons un lien de parenté, mais je ne l'ai jamais rencontré), un célèbre chef d'orchestre canadien, prétend que son intérêt pour la musique remonte à la période fœtale :

> Lorsque j'étais jeune, dit-il en substance, je fus surpris par la possibilité que j'avais de jouer certains morceaux sans en avoir vu la partition. Je dirigeais une œuvre pour la première fois et soudain, la partition du violoncelle m'apparut à l'esprit : j'en connaissais la suite avant même d'avoir tourné la page. Un jour, j'en parlai à ma mère, qui est violoncelliste de concert. Je pensai qu'elle serait intriguée parce que c'était toujours cette même partition qui était si distincte dans mon esprit. Elle l'a été en effet mais lorsqu'elle a su de quels passages il s'agissait, le mystère s'est éclairci. Tous les passages que je connaissais de tête étaient ceux qu'elle avait joués alors qu'elle attendait ma naissance.

Dans un effort pour maîtriser l'efficacité de la communication prénatale, plusieurs médecins et obstétriciens se sont efforcés d'établir une voie à suivre. Thomas Verny, psychiatre, pense qu'en chantant et en parlant au fœtus, les parents créent un environnement intra-utérin qui abaisse le niveau des hormones responsables de l'anxiété, hormones qui provoquent une activité frénétique et même des ulcères chez le fœtus. S'avançant plus loin, le Dr Rene Van de Carr prétend que son programme de « classes prénatales » produit une stimulation systématique susceptible de stimuler l'efficacité du cerveau du fœtus et d'accroître sa capacité d'apprentissage après la naissance. Les plus étonnantes propositions dans ce domaine sont faites par le psychiatre Brent Logan. Ce dernier préconise d'utiliser ce qu'il nomme le « curriculum cardiaque » qui insuffle dans le vagin de la mère une série de sons de complexité croissante, analogues aux battements du cœur. Selon lui, ces sons auraient pour effet de préparer ses « licenciés » à apprendre à parler dès l'âge de cinq à six mois et à lire à dix-huit mois alors que les enfants ne parlent normalement qu'à partir d'un an et ne lisent pas avant cinq ou six ans.

Pour plus d'information sur l'apprentissage prénatal, je vous recommande les ouvrages de Rene Van de Carr et de Thomas Verny, qui sont peut-être disponibles dans votre bibliothèque publique locale.

L'appétit sexuel

La grossesse peut jouer de curieux tours à votre libido. C'est à ce moment que certains futurs pères se découvrent plus intéressés par la sexualité et plus facilement excités que jamais mais que d'autres ont tendance à en rejeter même l'évocation. Que votre sentiment personnel s'oriente vers l'une ou à l'autre de ces tendances ou que vous vous trouviez entre les deux, soyez certain d'une chose : vous êtes absolument normal.

Dans cette partie, nous allons traiter des différentes options sexuelles qui peuvent se présenter dans les six premiers mois de la grossesse. Pour les trois derniers mois, reportez-vous aux pages 153 et 154.

RAISONS QUI MOTIVENT, CHEZ L'UN ET L'AUTRE, UNE RECRUDESCENCE DU DÉSIR SEXUEL

- Les trois premiers mois désormais écoulés, les nausées et la fatigue se sont estompées chez votre compagne, ce qui rend les rapports sexuels plus attrayants.
- Sa nouvelle silhouette aux lignes arrondies est plus érotique.
- Votre compagne peut aussi être fière de sa nouvelle allure et se trouver séduisante.
- Vous vous sentez fier de votre virilité qui vous a permis d'engendrer et vous en ressentez de l'excitation.
- Votre compagne peut être excitée par cette confirmation de féminité et par les transformations admirables qui se produisent en elle.
- Tout au long de la grossesse, vous pourriez connaître tous deux un sentiment nouveau de rapprochement sur le plan sexuel.

RAISONS QUI MOTIVENT, CHEZ L'UN ET L'AUTRE, UNE DIMINUTION DU DÉSIR SEXUEL

- Au cours du premier trimestre, votre compagne se sent trop fatiguée pour éprouver du désir. Au cours du deuxième trimestre, elle se sent encore trop lasse ou s'estime trop affreuse pour souhaiter une relation sexuelle (environ vingt-cinq pour cent des femmes enceintes ont cette impression).
- Votre compagne suppose que vous ne la trouvez pas séduisante et ne souhaitez pas avoir de relations sexuelles avec elle.

- Vous ne trouvez plus autant de plaisir chez une femme dont le corps, autrefois attirant, est devenu utilitaire.
- Vous supposez que votre compagne, ne se croyant plus attirante, n'est plus attirée par les rapports sexuels.
- L'un et l'autre craignez que les rapports sexuels ne la blessent ou ne blessent le bébé. En réalité, ces craintes ne sont pas fondées. Le bébé est bien protégé dans son écrin matelassé de liquide amniotique et, sauf avis contraire du médecin, faire l'amour pendant la grossesse n'est pas plus dangereux pour votre compagne qu'en temps normal. Cela devrait vous rassurer l'un et l'autre. Tant mieux s'il en est ainsi. Dans le cas contraire, il vous est loisible d'essayer des positions sexuelles différentes (couchés sur le côté, ou la partenaire couchée par-dessus vous, par exemple) ou des moyens différents de provoquer l'orgasme (contacts buccogénitaux, vibrateurs, etc.). Souvent quelques modifications mineures à vos habitudes suffiront à apaiser vos craintes.
- Bien que, dans la plupart des cas, il soit nécessaire d'avoir des rapports sexuels pour devenir parents, votre compagne et vous-même, à mesure que la grossesse se précise, pourriez croire que les parents ne sont pas sensés avoir de tels rapports. Même si nous sommes tous la preuve vivante que nos parents ont fait l'amour au moins une fois, il est parfois difficile de les imaginer tous deux nus, au lit…
- Votre compagne ou vous-même pourriez en arriver à vous persuader que le sexe ne sert qu'à la procréation. Celle-ci réalisée, il devient sans objet, sauf si vous souhaitez avoir d'autres enfants.

L'AVIS DES SPÉCIALISTES

Comme on le voit, la gamme des opinions relatives au sexe est très étendue. Si vous vous croyez seul à penser ceci ou cela, voici quelques trouvailles intéressantes concernant la sexualité des couples en attente d'une naissance :

- Selon les psychologues Wendy Miller et Steven Friedman, les pères en devenir sous-estiment généralement le pouvoir de séduction que leur compagne s'attribue et, parallèlement, les futures mères sous-estiment le pouvoir de séduction que leur attribue leur compagnon. À la fin du compte, la plupart des hommes trouvent érotique le corps de leur compagne enceinte et la plupart des femmes enceintes se jugent très attirantes.

- En ce qui concerne l'intimité physique pendant la grossesse, le futur père est, selon les Cowan, psychologiquement plus inhibé que sa compagne.

- L'opinion selon laquelle la grossesse désexualiserait en quelque sorte la femme se révèle sans fondement. Par ailleurs, Miller et Friedman estiment qu'il n'y a aucune différence notable dans les degrés de désir ou de satisfaction sexuelle entre les hommes et les femmes à la veille d'être parents.

LORSQUE VOS APPÉTITS SEXUELS NE SONT PLUS SYNCHRONISÉS

Il est certain que votre conjointe et vous-même n'êtes pas toujours sur la même longueur d'ondes. Elle peut avoir des envies sexuelles alors que son physique à la Rubens tend à vous décourager. À l'inverse, votre libido sera peut-être exacerbée au moment où votre compagne préférerait se reposer. Voici à ce sujet quelques suggestions :

- **Parlez-en entre vous**

  En de tels cas, comme dans beaucoup d'autres au cours de la grossesse, il est indispensable de se parler. Arthur et Libby Colman soulignent très justement que, si le couple hésite à discuter ouvertement de sa sexualité, l'ensemble de ses relations pourrait en subir le contrecoup, ce qui, par ricochet, aggraverait les problèmes sexuels.

- **Développez l'aspect platonique de votre affection**

  Vous caresser, vous toucher, vous embrasser… Essayer de dire ouvertement que c'est cela que vous aimez faire n'est pas aussi facile qu'il y paraît. Les Cowan ont découvert que de nombreux couples ont besoin de s'exercer à trouver des moyens sensuels de se plaire sans relations sexuelles. Tant l'homme que la femme hésitent à faire des approches amoureuses s'ils ne sont pas certains d'aboutir à des rapports sexuels et ils craignent d'être mal compris.

- **Soyez gentils l'un pour l'autre**

  Si vous critiquez son aspect, elle s'en trouvera intimidée, moins attirante, et sera moins intéressée par la sexualité.

Emploi et famille

L'état de votre compagne

Physiquement

- La période de gain de poids important commence
- Sa transpiration est plus abondante
- L'afflux de sang au visage lui confère cet éclat typique de la femme enceinte
- L'activité du fœtus s'accroît

Émotivement

- Les sautes d'humeur se raréfient
- Les pertes de mémoire subsistent
- Elle a l'impression que la période de grossesse s'étire indéfiniment
- Elle établit des liens plus étroits avec le bébé
- Elle reste toujours très dépendante de vous

L'état du bébé

Le bébé est maintenant recouvert de *vernix caseosa*, une substance protectrice épaisse et grasse. Les mouvements de ce petit être d'une trentaine de centimètres et pesant environ un kilogramme deviennent plus vigoureux. Il peut entendre des sons du monde extérieur et y réagir.

Et vous dans tout cela ?

Vous reconsidérez vos relations avec votre père

À mesure que se développe la perspective de la paternité, vous vous surprendrez probablement à consacrer beaucoup de temps à réfléchir à la façon dont vous pourrez concilier les différents rôles de parent, de pourvoyeur, d'époux, de travailleur, d'ami, qui constitueront ensemble votre personnalité de père. On l'a vu plus haut, vous allez sans doute passer davantage de temps à lire des ouvrages sur l'enfance et à observer la façon dont vos amis ou même les étrangers combinent tous ces rôles.

Vous constaterez en définitive que votre propre père – que vous le connaissiez ou non – a eu une profonde influence sur le genre de père que vous serez probablement. Il vous arrivera à ce propos d'être envahi par des images oubliées de votre enfance. En descendant la rue, je me suis rappelé brusquement le temps où nous partions camper ou nous allions au théâtre, où il m'apprenait à lancer le ballon dans le panier, et cet après-midi torride où, au jardin, lui, ma sœur et moi, ne gardant que nos sous-vêtements, nous nous étions copieusement arrosés les uns les autres de couleur à l'eau. Il n'y a rien comme la paternité imminente pour raviver tous les souvenirs et toutes les émotions relatives à ce qu'était la paternité, du point de vue de l'enfant.

Tous les souvenirs du père ne sont pas positifs pour les garçons. Bien de ces images sont dominées par la crainte, la souffrance, la solitude ou l'absence du père. En tout état de cause, ne soyez pas étonné de vous surprendre à réexaminer vos relations avec votre père. A-t-il été le genre de père que vous souhaiteriez prendre pour modèle ? Ou bien l'exemple parfait du père auquel vous ne voudriez pas ressembler ? Beaucoup d'hommes, en particulier ceux dont les relations avec le père ont été tendues ou même inexistantes, pensent que la perspective de devenir père à leur tour atténuera la rancœur qu'ils ont peut-être éprouvée si longtemps.

Ne vous étonnez pas si vous vous mettez à rêver de votre père. L'onirologue Luis Zayas pense que les incertitudes d'un futur père quant à son identité à titre de père, à son rôle réel et aux modifications de ses relations avec son épouse et sa famille relèvent de traits psychiques de paternité fondamentalement rattachés à la relation de l'homme avec son propre père et se retrouvent fréquemment dans ses rêves.

Ainsi, que vous soyez éveillé ou que vous dormiez, lorsque vous pensez à votre père, sachez que ce qui s'éveille réellement en vous, c'est l'inquiétude de savoir quelle sorte de père vous serez vis-à-vis de votre bébé.

La nécessité de vivre

J'ai toujours été singulièrement fasciné par l'idée de la mort. Cependant, lorsque ma femme devint enceinte pour la première fois, la mort m'apparut bien plus qu'une vague abstraction. Je me suis soudain aperçu que ma mort pouvait entraîner de graves problèmes dans la vie d'autres personnes.

Cette réflexion a eu quelques conséquences intéressantes et d'application immédiate. Premièrement, je suis devenu un bien meilleur conducteur, ou tout au moins un conducteur plus prudent. En une seule nuit, la signification du feu orange a changé pour moi : au lieu de « accélère à fond » ils me disent désormais « vas-y avec prudence ». J'ai pris l'habitude de partir quelques minutes plus tôt pour mes rendez-vous afin de ne pas devoir me presser, je me suis faufilé moins fréquemment dans la circulation et je n'ai plus fulminé contre celui ou celle qui me coupait. Je repensais en frémissant à certains sports périlleux que j'avais pratiqués avant mon mariage, tels le parachutisme et la plongée sous-marine. Mes projets de pratiquer le saut à l'élastique et le deltaplane sont passés à l'arrière-plan, car des êtres humains dépendaient de moi désormais.

Cette obligation de me conserver en vie a eu encore d'autres conséquences intéressantes. Je me suis senti étrangement attiré par l'histoire de la famille et j'ai soudain eu le désir d'en apprendre plus sur nos traditions, notre passé, nos rites familiaux et les parents éloignés dont personne ne parlait jamais. J'ai même fait l'acquisition d'un logiciel spécialisé dans la généalogie et je me suis mis à importuner la parenté afin de connaître les dates de naissance. Il est fréquent, semble-t-il, de voir les futurs pères éprouver un intérêt soudain pour la parenté immédiate et lointaine, même si les liens se sont relâchés depuis longtemps.

Ce phénomène n'a rien d'étonnant, surtout si l'on considère que l'une des principales raisons d'avoir des enfants est de s'assurer qu'une petite part de soi se perpétue dans l'avenir. Avec le secret espoir que, dans soixante-quinze ans, lorsqu'un arrière-arrière-petit-enfant sera sur le point d'être père, il se mette à explorer ses racines et souhaite en savoir plus sur son trisaïeul.

Pris au piège ?

Vous savez déjà que votre compagne et vous ne ressentez pas toujours les mêmes choses au même moment. Il est probablement déjà arrivé, au cours de la grossesse, que votre compagne se soit renfermée en elle-même, en songeant à la façon dont son état pouvait affecter sa propre personnalité et vous vous êtes alors trouvé quelque peu délaissé. Aujourd'hui, en contrepartie, votre compagne semble sortir de son isolement, elle se concentre moins sur elle-même et sur le bébé, et davantage sur vous.

Entre-temps, vous avez peut-être entamé le processus inverse en vous repliant sur vous-même. Vous allez devenir père dans moins de quatre mois et vous avez une foule de préoccupations personnelles que vous devez traiter sans délai. Le problème, c'est qu'au même moment, votre compagne devient, elle, de plus en plus dépendante de vous. Elle pourrait alors craindre que vous ne l'aimiez plus et que vous soyez sur le point de la quitter. Ou encore, en vous voyant ainsi perdu dans vos soucis, ne plus pouvoir compter sur vous. Bien qu'être traité de cette façon soit valorisant, vous risquez de ne plus être capable de maîtriser la situation et, de surcroît, la dépendance croissante de votre compagne vis-à-vis de vous peut vous donner l'impression d'être pris au piège. Comme les Colman l'ont constaté, les craintes intempestives d'une femme enceinte à l'égard de son compagnon pourraient laisser celui-ci sous l'impression d'être surprotégé, alors que c'est son indépendance même qui est menacée. Si vous vous sentez piégé, il est important de le lui dire en termes délicats et sans aucun soupçon d'agressivité. Par la même occasion, encouragez-la à parler de ce qu'elle ressent et de ce qu'elle attend de vous.

Ce que vous pouvez faire

Prenez du bon temps

Tout en étant une période de profondes transformations tant physiques qu'émotionnelles, la grossesse peut aussi réserver des moments très agréables. Voici quelques passe-temps amusants :

- **Prenez beaucoup de photos**

  J'ai pris des tas de photos de ma femme, de face comme de profil, une tasse à la main portant très lisiblement la mention « Femme enceinte numéro 1 ».

- **Achetez-vous des vêtements amusants.**

  Les T-shirts unisexe qui mentionnent : « Oui, Monsieur, c'est mon bébé » ou les chapeaux « Futur père » représentant une abeille bourdonnante sont parmi les favoris.

- **Faites de l'exercice**

  Prendre ensemble des leçons d'aquaforme ou de natation peut être très plaisant. Vous serez surpris de l'agilité d'une femme enceinte lorsqu'elle est dans l'eau. Sauf si vous savez parfaitement mesurer le sens de l'humour de votre compagne, il vaut mieux éviter toute allusion à la baleine, échouée ou non.

- **Commencez à constituer un dossier pour le bébé**

  Juste avant la naissance de notre première fille, ma femme commença à rassembler des photos de mode de l'époque, extraites de magazines et de journaux, une liste des films à succès, les livres et enregistrements de l'année, les articles sur des sujets d'actualité politique et sociale, des photos de la maison où nous vivons, de la chambre d'enfant avant et après son aménagement, et une liste de prix de biens ou articles divers : maisons, ordinateurs, aliments, billets de théâtre ou de cinéma, etc.

- **Préparez le faire-part de naissance**

  Voyez les spécialistes en la matière ou préparez votre projet personnel. Consultez les pages 132 et 133 pour les détails.

Emploi et famille

LE CONGÉ POUR RAISON FAMILIALE

Inutile de se bercer d'illusions, s'occuper du fœtus n'est possible, pour le futur père, que pendant quelques heures seulement par semaine, un court instant avant le travail, un peu plus longtemps à la fin de la journée et pendant les fins de semaine. Mais après la naissance du bébé ? Sera-t-il suffisant de lui consacrer quelques heures par jour ? Si c'était le cas, vous ne seriez pas occupé à lire ce livre.

Contrairement à l'image stéréotypée que l'on s'en fait, la plupart des pères souhaitent réserver beaucoup de temps à leur famille. Voici les résultats de quelques études récentes :

- Une entreprise importante a constaté que cinquante-sept pour cent des hommes (contre trente-sept pour cent quelques années auparavant) souhaitent avoir des horaires flexibles qui leur permettent de passer plus de temps avec leur famille.
- Une enquête du *Los Angeles Times* a montré que trente-neuf pour cent des hommes déclarent avoir envie de quitter leur travail pour se consacrer à leurs enfants.
- Trois hommes sur quatre considèrent que la famille est l'élément le plus important de leur existence.
- Quatre-vingts pour cent des pères voudraient prendre une part plus grande que leur propre père dans l'éducation des enfants et espèrent assumer cette tâche à égalité avec leur épouse.

Malgré les déclarations des pères d'aujourd'hui, un pour cent seulement d'entre eux profitent des options de congés parentaux qui leur sont offertes. Quelle est donc la raison de cette contradiction entre ce que les hommes disent et ce qu'ils font ? Il appert que la grande majorité des congés familiaux n'est pas rémunérée à cent pour cent. Comme, proportionnellement, la femme qui travaille gagne, encore aujourd'hui, moins que l'homme, si quelqu'un doit s'absenter du travail, l'intérêt global de la famille semble indiquer qu'il est préférable de sacrifier le salaire féminin.

Cependant les raisons financières ne sont pas les seules pour lesquelles les hommes ne profitent pas du congé familial. Même lorsque l'entreprise offre de payer leur congé de paternité, ils hésitent à le prendre. Pourquoi ? Beaucoup ont la conviction profonde que «le statut de père» desservira leur carrière. Tom, un avocat de mes amis qui a choisi de ne pas profiter du congé de paternité offert par son employeur, m'a avoué : «J'aurais voulu prendre ce congé, mais je savais que si je le prenais je n'aurais aucune chance d'être admis à titre d'associé. Une telle prise de position serait suicidaire.»

Malheureusement, les craintes de Tom ne sont pas sans fondement. Le Dr Joseph Pleck, du Wellesley College, pense que «du fait que les employeurs ne comprennent ou n'acceptent pour personne l'idée du congé de paternité, ils trouvent le concept lui-même incompréhensible ou simplement incongru.» Il n'est donc pas étonnant que beaucoup d'entreprises transmettent à leurs employés des messages ambigus concernant l'opportunité d'un congé de paternité. Quelques années avant la signature, aux États-Unis, de la loi *Family and Medical Leave Act*, une importante étude avait révélé que la plupart des entreprises qui offraient volontairement, sans discrimination de sexe, un régime de congé pour raisons familiales ne proclamaient cependant pas ouvertement qu'il pouvait être pris par les pères. Et lorsque les chercheurs demandèrent à plus de mille cinq cents cadres américains combien de temps ils estimaient raisonnable de consacrer à un congé de paternité, soixante-trois pour cent répondirent: «Rien du tout». Même dans les entreprises qui offraient un congé de paternité, quarante et un pour cent se déclarèrent en faveur de la suppression du congé. Il est regrettable que, même aujourd'hui, alors que la plupart des grands employeurs sont tenus par la loi d'accorder un congé familial aux hommes, l'attitude générale n'ait pas changé.

Certains employeurs cependant sont d'avis qu'offrir un congé de paternité n'est pas suffisant, ils encouragent leurs employés à les prendre. Par exemple, en 1991, le *Los Angeles Department of Water and Power* (dont soixante-dix-huit pour cent des employés sont des hommes) a mis sur pied un programme spécial en faveur des jeunes pères baptisé *Doting Dads* (ce qui pourrait se traduire par «Papas gâteaux»). Ce programme prévoit un congé de paternité de quatre mois, une formation à la paternité, des services de conseils pour élever les enfants et même des cours sur l'allaitement des bébés. Entre 1980 et 1990 (avant l'application du programme), au total seulement trois ou quatre pères avaient opté pour le congé de paternité. Mais à partir du lancement du programme, ce nombre s'est accru d'une trentaine par année. Quelques autres grands employeurs ont aussi remarqué une légère progression en ce sens, bien que ce nombre reste encore extrêmement faible au regard de celui des femmes qui prennent un congé excédant celui qui leur est accordé pour leur accouchement.

Au Québec le père et la mère d'un nouveau-né ainsi que la personne qui adopte un enfant ont droit à un congé parental sans salaire d'au plus 52 semaines continues. À ce congé s'ajoute, le cas échéant, le congé de maternité de dix-huit semaines. Depuis le 1er janvier 2006, la personne qui adopte l'enfant de son conjoint aura également droit à ce congé parental et pourra recevoir l'allocation prévue.

À la fin d'un congé parental qui ne dépasse pas deux semaines, l'employeur doit réaffecter le salarié à son poste habituel et lui donner le même salaire et les mêmes avantages auxquels il aurait eu droit s'il était resté au travail.

Si le congé excède douze semaines, le poste du salarié n'est plus garanti par la loi. L'employeur est cependant tenu d'affecter ce dernier à un emploi comparable dans le même établissement, avec au moins le même salaire et les mêmes avantages. Pour tout renseignement additionnel relatif au congé parental, il faut s'adresser à la Commission des normes du travail (CNT) mentionnée dans la section Points de contact.

Au Québec toujours, il existe trois types de prestations : a) les *prestations de maternité*, les *prestations parentales*, les *prestations de maladie*. Pour obtenir des renseignements supplémentaires sur ces prestations, il suffit de consulter la brochure *Bébé arrive* que l'on peut obtenir gratuitement dans tout bureau de Communication-Québec

MODIFICATION À LONG TERME DE L'HORAIRE DU TRAVAIL

Jusqu'ici, nous avons parlé d'un congé de quelques semaines au cours de la période qui suit immédiatement la naissance. Mais qu'en est-il par la suite?

Extraits de la Loi sur les normes du travail au Québec

Au Québec, entre autres dispositions prévues par l'Art. 81 de la Loi sur les normes du travail, cette dernière concède à un salarié une absence de cinq jours à l'occasion de la naissance de son enfant ou de l'adoption d'un enfant Si ce salarié a déjà à son actif soixante jours de service continu, les deux premières journées d'absence sont rémunérées.

Une salariée peut s'absenter du travail pour un examen médical relié à sa grossesse ou pour un examen identique effectué par une sage-femme. Dans l'un et l'autre cas, cette salariée ne sera pas rémunérée.

Le congé de maternité ne commence qu'à compter du début de la seizième semaine précédant la date prévue pour l'accouchement. La salariée enceinte bénéficie d'un congé de maternité sans salaire d'une durée maximale de dix-huit semaines continues. La Loi avise l'employeur que le congé de maternité peut être pris après un avis écrit d'au moins trois semaines à l'employeur indiquant la date du début du congé et celle du retour au travail. Cet avis doit être accompagné d'un certificat médical attestant de la grossesse et de la date prévue pour l'accouchement. Dans un tel cas, le certificat médical peut être remplacé par un rapport écrit signé par une sage-femme. L'avis peut être de moins de trois semaines si le certificat médical atteste du besoin de la salariée de cesser le travail dans un délai moindre.

Pour des renseignements supplémentaires, voir la section Points de contact, Commission des normes du Travail.

Le gouvernement du Québec peut, par règlement, déterminer la durée du congé de maternité ou, le cas échéant, sa durée supplémentaire, le moment où il peut-être pris, les avis qui doivent être donnés et les autres conditions applicables :

1. lorsque l'accouchement a lieu après la date prévue ;
2. lorsqu'il y a danger de fausse couche ou un danger pour la santé de la mère ou de l'enfant à naître ;
3. lorsque survient une fausse couche ou un accouchement d'un enfant mort-né ;
4. lorsque l'état de santé de la mère ne lui permet pas de retourner au travail à l'expiration du congé de maternité.

Peu de temps après la naissance de notre première fille, ma femme a quitté le grand bureau d'avocats du centre-ville où elle travaillait pour se trouver une occupation moins stressante de trois jours par semaine, plus près de chez nous. Tous ceux qui nous connaissaient, ou presque, ont applaudi à sa décision. En revanche, lorsque j'ai annoncé qu'à mon tour je voulais réduire mes prestations professionnelles à trois jours par semaine, la réaction fut quelque peu différente. Au travail, je me suis fait harceler par mon patron et mes collègues, et nombre de mes parents et amis se sont mis à insinuer que si je ne reprenais pas le travail à temps plein, ma carrière en serait définitivement brisée.

Généralement, les horaires variables, le temps partagé ou le travail à domicile sont considérés comme des « options féminines ». Or il n'en est rien. Comme nouveau père (ou même comme père vétéran), vous souhaiterez probablement passer plus de temps avec votre ou vos enfants que votre père n'en a passé avec vous, et le seul moyen d'atteindre ce but est d'apporter quelques modifications à votre rythme de travail.

Loin de moi l'idée de suggérer que chacun réduise son temps de travail à trois jours par semaine. De toute évidence, ce ne serait pas faisable pour la plupart, quoique ce serait agréable, ne croyez-vous pas ? Toutefois, il y a d'autres moyens d'augmenter le temps que vous voulez réserver à votre famille.

LE PARTAGE DU TEMPS DE TRAVAIL

De plus en plus d'entreprises constatent que leur personnel – surtout le personnel féminin – souhaite une plus grande souplesse dans les heures de travail, chose que les horaires classiques ne peuvent concéder. La solution serait de partager un même travail – et un même bureau – entre deux personnes. L'une des deux pourrait par exemple travailler le matin, l'autre l'après-midi.

LE TRAVAIL À DOMICILE

Beaucoup de patrons se trompent en pensant que leurs employés doivent faire acte de présence journellement au bureau ; rien n'est plus faux. Il y a plusieurs années, lorsque j'étais négociant en matières premières, je passais huit ou neuf heures à débattre des prix par téléphone avec des personnes que je ne devais jamais rencontrer. Mes collègues étaient occupés de la même façon, et mon patron se trouvait à trois mille kilomètres de moi. Il n'y avait réellement aucune raison de ne pas faire notre travail à domicile.

D'accord ! négociant en matières premières n'est pas un travail courant, mais c'est un fait que les activités de beaucoup d'Américains n'exigent pas leur présence physique à un endroit et à un moment déterminé. Si vous n'êtes pas employé dans la construction ou dans le commerce de détail, vous êtes un candidat sérieux pour le travail à domicile.

Toutefois, avant de commencer à prendre des dispositions en ce sens, sachez que je ne vous suggère nullement de louer immédiatement votre bureau à quelqu'un d'autre, La plupart des personnes qui pratiquent le travail à domicile ne travaillent en réalité chez elles qu'un jour ou deux par semaine. L'important est que la possibilité de travailler à domicile vous offre le loisir de passer un peu plus de temps avec votre famille. Rappelez-vous cependant que le travail à domicile ne peut être mené de concert avec la garde des enfants.

Si vous étiez tenté par le travail à domicile, voici ce dont vous devriez notamment disposer :

- un ordinateur compatible avec le système de votre employeur
- une ou deux lignes téléphoniques supplémentaires
- un modem
- un télécopieur ou un fax/modem
- un lieu tranquille pour installer tous ces appareils

Si intéressant que soit le travail à domicile, il présente cependant quelques inconvénients. Certains de mes amis ont soudain pensé qu'étant toujours chez moi, je ne faisais rien et, puisque je ne faisais rien, je pouvais leur rendre moult services. Si cela vous arrive, il vous faudra apprendre à dire non. Le travail chez soi peut aussi sembler un travail de reclus et vous pourriez regretter les parlotes autour du distributeur d'eau fraîche ou les blagues entre copains de bureau.

Le cercle de la famille et des amis

L'état de votre compagne

Physiquement

- Inconfort physique général, crampes, vertiges, abdomen douloureux, brûlures d'estomac
- Démangeaisons de l'abdomen
- Maladresse accrue
- Elle apprend à marcher d'une nouvelle et curieuse façon
- Pertes blanches épaisses parfaitement normales, ou leucorrhée
- Contractions de Braxton-Hicks (fausses contractions) plus insistantes

Émotivement

- Sautes d'humeur plus rares
- Rêves et fantasmes au sujet du bébé
- Préoccupations d'ordre professionnel ; elle doute de sa capacité à reprendre le travail et est préoccupée par la difficulté d'équilibrer les rôles de mère et d'épouse avec l'emploi ou la profession
- Appréhensions concernant le moment de l'accouchement

L'état du bébé

Les poumons du bébé atteignent leur développement final. Il peut maintenant se mouvoir au rythme d'une musique ambiante. Pesant près d'un kilogramme et demi et mesurant quelque quarante centimètres, il commence à se sentir un peu à l'étroit dans l'utérus. Il consacre son temps libre à sucer son pouce.

Et vous dans tout cela

L'acceptation de la grossesse

On l'a vu plus haut, l'acceptation sans réserve de la grossesse est, pour le père, un processus lent où le bébé devient un être de plus en plus réel à mesure que les neuf mois s'écoulent. « C'est comme attraper la varicelle, déclare un père interrogé par Katharyn May. Bien que vous soyez porteur du virus, il vous faut un certain temps avant de vous apercevoir que vous êtes contaminé. » Une autre scientifique, Pamela Jordan, prétend que malgré l'image du fœtus fournie par l'échographie, beaucoup d'hommes ne se rendent réellement compte de l'existence de leur enfant qu'au moment du face-à-face à la naissance.

Comment visualiser l'enfant

Pour l'homme, la réalité de la grossesse se reflète progressivement dans les rêves. Un chercheur, Luis Zayas, constate que, jusqu'au milieu de la période de grossesse, l'enfant n'est pas représenté dans les rêves du père par une personne, mais bien par des symboles. Cependant, à mesure que la grossesse progresse vers le stade final, le futur père, consciemment ou non, fabrique des images plus réalistes de l'enfant.

Si vous discutez de cela avec votre compagne, gardez à l'esprit que, de leur côté, les femmes commencent normalement à visualiser l'enfant très tôt au cours du développement de la grossesse. Ces visions, qui surviennent aussi bien de jour que de nuit, sont certainement en relation avec le lien physique tissé entre la femme et le fœtus, mais aussi avec le fait que beaucoup de femmes, par leur intégration dans la société, se voient normalement dans le rôle de mère. De surcroît, les femmes enceintes, en rêve ou en imagination, ont tendance à évoquer l'image de bébés alors que leurs compagnons se voient plutôt en compagnie d'enfants âgés de trois à cinq ans. Cela a bien été mon cas. Pendant la période de gestation de ma femme, dans presque tous mes rêves ou rêveries comportant des enfants, je leur tenais la main, laissant la trace de nos pas sur le sable de la plage, ou encore je me voyais faisant du catch, toutes choses impossibles avec un bébé au berceau. Ma femme, au contraire, rêvait de bébés aussi petits que la main et sans cheveux, mais qui s'exprimaient comme des adultes.

Quel sera son sexe ?

Que cela vous plaise ou non, notre société occidentale est obnubilée par le genre de l'être humain, aussi ne vous étonnez pas si, au début de la grossesse, les spéculations aillent bon train à propos du sexe de l'enfant à naître. Votre compagne porte-t-elle le bébé « haut », « bas » ou en « largeur » ? le fœtus donne-t-il des coups de pied capables de faire bouger votre main ? les coups sont-ils souples et doux ? la maman a-t-elle un teint clair ou un peu d'acné ? Il existe littéralement des centaines d'indices absolument, positivement sûrs et aptes à déterminer le sexe du bébé et, avant même qu'il ne naisse, vous les aurez tous entendus.

Avant de croire l'une ou l'autre de ces sornettes, voici quelques points manifestement plus intéressants :
• La plupart des pères ont une préférence pour un garçon.
• La plupart des mères n'ont aucune préférence.
• Plus de femmes que d'hommes désignent le bébé à naître par « lui ». Les hommes comme les femmes préfèrent souvent le désigner par un gentil sobriquet.

Dans notre cas, le petit nom que nous avions ainsi donné à chacune de nos filles leur est resté longtemps après la naissance. Nous avions appelé la première « Rou », diminutif de kangourou, parce qu'elle donnait de violents coups de pied. La seconde a été nommée « Pic » parce que, contrairement à sa sœur, elle préférait talonner sa mère par petits coups rapides.

Si vous avez une préférence pour le sexe de votre enfant, ne l'ébruitez pas. Au cas où votre enfant serait de l'autre sexe, il pourrait fort bien être mis au courant de vos préférences par un ami ou un parent distrait à qui vous vous seriez confié par hasard. Le sentiment de ne pas être à sa place, de vous avoir déçu et même de se croire secrètement rejeté pourrait hanter l'enfant pendant des années, entre autres à l'époque de l'adolescence alors que la confiance en soi est souvent à son niveau le plus bas. Donc, même si dans le tréfonds de votre cœur, vous aviez une préférence, il y a peu à gagner et beaucoup à perdre à révéler la chose.

À dire vrai, certains futurs pères redoutent d'avoir un enfant de l'un ou de l'autre sexe parce qu'ils craignent de ne pas avoir, à son égard, la préparation suffisante. Pour beaucoup d'hommes, l'image qu'ils se font d'eux-mêmes en tant que parent est étroitement liée au sexe de leurs enfants. Comme garçons, nous avons passé une grande partie de notre enfance à pratiquer des activités physiques comme la course à pied, le saut, la lutte et le football. Il est donc naturel de nous imaginer en train de répéter le schéma avec nos propres enfants. Or certains se sentent mal à l'aise à l'idée de lutter avec leurs filles, parce qu'ils sont persuadés que ce n'est pas convenable. En réalité, non seulement c'est bien et tout indiqué de développer les aptitudes physiques des filles, mais cela peut aussi leur être très utile en certaines circonstances (voir les pages 261 à 265).

Et si vous vous évanouissiez pendant son accouchement?

Les hommes ont la réputation d'être forts. Vrai ou faux? Tout spécialement lorsque leur épouse est enceinte. Le moindre signe de faiblesse pourrait être interprété comme... un signe de faiblesse. Serait-ce cette vielle contrainte sociale qui conduit la plupart des hommes à craindre le moment de l'accouchement, non parce qu'ils n'aiment pas voir souffrir leur compagne, mais parce qu'ils ont simplement peur de s'évanouir? Or tout le monde sait qu'un homme, un vrai, ne cède jamais à l'émotion.

Si vous êtes inquiet quant à la manière dont vous survivrez à l'accouchement, accordez-vous deux faveurs:

• Lisez la section intitulée «Les cours prénatals» aux pages 134 à 142 et la section finale «Et si vous préférez ne pas assister à l'accouchement», page 146.

• Confortez-vous en sachant que l'évanouissement du père survient rarement. Le Dr Jerrold Shapiro a interrogé plus de deux cents jeunes pères à ce sujet; aucun ne s'était évanoui pendant l'accouchement.

Ce que vous pouvez faire

Le choix du prénom

Choisir le prénom d'un enfant peut sembler facile à première vue, mais ne vous faites pas trop d'illusions, c'est moins simple que vous ne le pensez. Il vaut mieux y songer longtemps à l'avance, parce que la deuxième question à laquelle vous serez confronté après la naissance – la première étant « fille ou garçon ? » – sera « comment l'appelez-vous ? » Voici quelques suggestions à retenir tandis que vous y réfléchissez :

- Pensez à l'avenir. Cet adorable prénom qui vous tente pour votre fille pourrait se révéler parfaitement ridicule lorsqu'elle siégera à la Cour suprême.
- Selon un chercheur, les garçons auxquels on a donné un prénom peu courant connaîtront davantage de problèmes psychologiques que les garçons portant des prénoms assez usuels. Ils ont aussi plus de difficulté qu'une fille à assumer le poids d'un prénom trop original.
- Devez-vous ou aimeriez-vous honorer un membre de la famille ?
- Souhaitez-vous un nom qui rappelle votre ethnie ou votre appartenance religieuse ?
- Aimeriez-vous l'un ou l'autre prénom singulier, mais cependant acceptable ?
- Préférez-vous un prénom facile à épeler ou à prononcer ?
- Que penser du sobriquet qui accompagne parfois le prénom ?
- Le prénom et le sobriquet s'harmonisent-ils bien avec le patronyme ?
- Non, il serait impensable de l'affubler d'un nombre en guise de nom ! La question a récemment été soulevée au

Minnesota où l'intéressé perdit sa cause en cour de justice.

COMMENT CHOISIR ?

Commencez par dresser la liste des dix prénoms de garçons et des dix prénoms de filles que vous préférez. Comparez cette liste à celle de votre compagne et barrez les prénoms de sa liste qui ne vous plaisent pas. Qu'elle en fasse autant sur votre liste. Si un seul nom subsiste, l'affaire est réglée. Sinon, répétez l'opération jusqu'à obtenir des noms acceptables par chacun de vous. Les couples qui ne peuvent absolument pas arriver à sélectionner deux prénoms acceptables peuvent par exemple décider de laisser le choix à l'un des conjoints si c'est un garçon et à l'autre si c'est une fille, le choix revenant au perdant pour le prénom de l'enfant suivant.

Ce petit exercice est non seulement amusant, il donne aussi à chacun des conjoints l'occasion de mieux pénétrer l'esprit de l'autre. Ma femme, par exemple, n'avait jamais pris réellement au sérieux mon intérêt pour la mythologie nordique jusqu'au jour où j'inscrivis, dans ma liste des dix noms préférés, ceux d'Odin, maître des dieux dans les légendes du Nord, et de Loki, le géant du mal et de la méchanceté. Je suis heureux que ma femme s'y soit opposée et que nos deux enfants aient été des filles.

Certains experts en onomastique se sont spécialement penchés sur les noms de personnes et ils soutiennent que le prénom a une incidence profonde et directe sur le genre de vie et sur le succès de la personne qui le porte. Des recherches laissent entrevoir que, contrairement à ce que l'on aurait tendance à croire, des prénoms inhabituels peuvent avoir un effet positif sur certaines étudiantes.

PRESSIONS FAMILIALES ET TRADITION

Dans beaucoup de cultures et aussi dans certaines familles, le choix du prénom est strictement déterminé par la tradition.

- Chez les Kikouyous, une peuplade africaine, le premier garçon reçoit le prénom du grand-père paternel, le deuxième garçon, celui du grand-père du père, la première fille celui de la mère du père, et ainsi de suite.
- Au Myanmar (ex-Birmanie), une lettre de l'alphabet est associée à chacun des jours de la semaine et le nom des enfants doit commencer par la lettre du jour où ils sont nés.
- En Thaïlande, les parents peuvent demander à un prêtre local ou à un diseur de bonne aventure de déterminer le nom qui convient à leur enfant.
- Par tradition, les Juifs originaires d'Europe centrale ne donnent généralement pas à leurs enfants des noms de personnes en vie par crainte que l'Ange de la mort ne confonde le bébé avec son homonyme plus âgé.
- Si l'un ou l'autre parent doit absolument être honoré à l'occasion du choix du nom du bébé, il est parfois possible de trouver un compromis raisonnable. Les parents de Harry Truman, par exemple, lui ont donné comme deuxième prénom l'initiale S – simplement l'initiale – pour contenter à la fois chacun des deux grands-pères dont les prénoms étaient Solomon et Shippe.

LE NOM DE FAMILLE

Au cas où votre compagne et vous portez tous deux le même nom de famille, il n'y a évidemment aucun problème. Dans le cas contraire, les choses sont un peu plus compliquées.

Peut-être avons nous, ma femme et moi, vécu assez long-temps à Berkeley (Californie) pour y avoir des couples d'amis qui ont opté pour chacune des solutions suivantes à l'occasion de naissances :

- donner aux enfants le nom de famille du père (c'est le cas le plus fréquent) ;
- donner aux enfants le nom de famille de la mère (moins fréquent) ;
- donner aux enfants le nom de famille combiné du père et de la mère (mais lorsque Benjamin Brandt-Finnell épouse Sarah Rosenberg-Wohl, quel pourrait être le nom porté par les enfants ?) ;
- créer un nom de famille complètement nouveau ;
- donner aux garçons le nom de famille du père et aux filles celui de la mère.

Archives de l'état civil du gouvernement du Québec

Au Québec, les parents n'ont que trois choix possibles pour l'attribution du patronyme à l'enfant nouveau-né qu'ils doivent inscrire aux Archives de l'état civil :

1. Le nom de famille (patronyme) du père.

2. Le nom de famille de la mère.

3. Les noms de famille associés du père et de la mère.

Dans le cas d'une adoption, ces formalités peuvent varier. Renseignez-vous auprès des Archives en composant le numéro sans frais : 1 800 567 3900.

Les faire-part de naissance

QUAND LES COMMANDER ?

Comme, avant sa naissance, vous ne connaissez ni le poids exact, ni la taille, ni dans la plupart des cas le sexe du bébé, il ne serait pas sensé de faire imprimer des faire-part de naissance avant que l'événement ne se soit produit. Pourtant, avoir à régler ce problème après la naissance est l'une des dernières choses que vous voudriez avoir à faire. C'est donc maintenant qu'il convient de faire votre choix.

Il y a trois modèles principaux de faire-part de naissance : les faire-part préimprimés où il suffit de remplir les blancs, les imprimés personnalisés suivant la demande et ceux que vous composez vous-même. Les deux premiers modèles peuvent être obtenus dans la plupart des papeteries et imprimeries. Si vous commandez des imprimés personnalisés, il vous est loisible de choisir à l'avance la présentation qui vous convient et de transmettre par téléphone les informations relatives au bébé, dès qu'elles sont disponibles. Quel que soit votre choix, procurez-vous les enveloppes dès maintenant pour pouvoir les libeller tant que vous en avez encore le loisir.

QU'Y INSCRIRE ?

Lorsque la science médicale sera plus développée, vous pourrez probablement y annoncer le quotient intellectuel et la future profession du bébé, mais en attendant, sur la plupart des faire-part de naissance on se borne à mentionner le nom, la date et l'heure de la naissance, le poids et la taille (facultatifs), ainsi que le nom des parents.

À QUI LES ADRESSER ?

Les premiers destinataires sont évidemment les parents et les amis. En ce qui concerne les relations mondaines et d'affaires, soyez très sélectif. Beaucoup se sentent obligés de faire un cadeau s'ils reçoivent un faire-part, n'en adressez donc pas à ceux vis-à-vis desquels vous vous sentiriez mal à l'aise dans ce cas. Les exceptions comprennent les personnes auxquelles le faire-part n'est adressé que pour mémoire, comme les employeurs et employés qui ont déjà offert un cadeau et les personnes à qui vos parents et beaux-parents vous ont demandé d'adresser un faire-part.

Les réceptions-cadeaux pour bébé (baby showers)

Naguère, les « baby showers » – comme d'ailleurs bien d'autres activités qui concernent les bébés – étaient réservées aux dames. Mais si, de nos jours, les parentes et amies de votre compagne organisent une réception-cadeaux en sa faveur, il est presque certain que vous y serez invité (ne vous faites pas d'illusions, il est peu probable que vos parents et amis en organisent une spécialement pour vous).

La plupart des « baby showers » ont lieu plusieurs semaines ou même plusieurs mois avant la date prévue pour la naissance. Leur but est d'offrir aux futurs parents, pour accueillir le bébé à naître, un assortiment de vêtements, d'objets utiles et de jouets. Si telle est la décision de vos proches, profitez-en, c'est une occasion sympathique de partager votre enthousiasme à la perspective de l'événement. Souvenez-vous de noter dans le détail le nom de qui a offert quoi, car, après la naissance, lorsque vous en serez à rédiger vos remerciements, rien ne ressemblera davantage à un papillon jaune qu'un autre papillon jaune…

Aux yeux de certains, cependant, l'idée d'organiser une réception-cadeaux pour le bébé avant que ce dernier ne soit né pourrait leur faire craindre quelque mauvais sort. Si vous-même aviez ce pressentiment et si vous rejetiez l'idée d'une réception-cadeaux, d'autres personnes pourraient en être offusquées. Dans un tel cas, proposez simplement de reporter la réception après la naissance en insistant sur le fait qu'il sera bien plus amusant de faire des présents à un bébé dont on connaîtra le visage, le nom et le sexe.

Les cours prénatals

Jusqu'à la fin des années 1960, les cours préparatoires à l'accouchement et à la naissance n'existaient pas. Tout ce qu'il fallait savoir en vue de la naissance était l'adresse de l'hôpital et tout ce que les futurs parents avaient à faire avant l'événement était de préparer la chambre de bébé. Les femmes entraient à l'hôpital, commençaient le travail seules dans une salle stérile et austère, subissaient une anesthésie générale et se réveillaient dolentes, sans même connaître le sexe du bébé dont elles venaient d'accoucher. Pendant ce temps, les hommes étaient parqués dans une salle d'attente et faisaient les cent pas jusqu'à ce qu'une infirmière vienne leur apprendre la bonne nouvelle. Les pères qui voulaient se libérer de la passivité qu'on leur imposait pendant la naissance de leur enfant pouvaient s'attendre à quelque surprise. Dans son ouvrage intitulé *Husband Coached Childbirth*, le Dr Robert Bradley cite le cas d'un homme qui, en 1965, fut arrêté et condamné pour avoir pénétré sans autorisation dans la salle d'accouchement, mû par l'espoir d'assister à la naissance de son second enfant.

Heureusement, de nos jours la situation est radicalement différente. Il est rare de trouver un homme qui ne se propose pas d'assister, s'il ne l'a déjà fait, à la naissance de ses enfants (selon des statistiques récentes, quatre-vingt-dix pour cent des pères sont présents à la naissance). On donne maintenant au terme « préparation » une toute nouvelle signification. Les futurs pères assistent fréquemment avec leur compagne aux visites chez l'obstétricien-gynécologue et beaucoup s'engagent dans l'étude de programmes qui rappellent furieusement la préparation des examens au collège. En outre, un nombre croissant de couples qui attendent un heureux événement suivent ensemble des cours prénatals. Lorsque ma femme et moi attendions notre premier bébé, notre souci principal fut de nous documenter et de lire tout ce qui nous tombait sous la main : au moment de la naissance, nous avions probablement lu assez de revues, d'articles de journaux et d'ouvrages pour réussir n'importe quel examen d'éducation prénatale. Mais à l'inverse de mes études, dont les acquis n'ont pas été d'une grande aide au cours de ma vie professionnelle, cette formation sur la naissance et l'éducation des enfants m'a été très utile.

COMMENT CHOISIR UN COURS PRÉNATAL

Lorsque les premiers cours ont fait leur apparition vers la fin des années 1960, l'accent était surtout mis sur l'accouchement naturel, non médicamenté. Récemment, le centre d'intérêt a quelque peu varié. L'accouchement naturel est certes toujours un sujet important des cours, mais le grand principe actuel est que, plus vous en savez concernant la grossesse et le processus de la naissance – depuis les principes nutritionnels et les exercices physiques jusqu'aux divers analgésiques les plus fréquemment ordonnés pendant l'accouchement – moins vous avez d'appréhensions et mieux vous vous dominez.

Dans la plupart des cas, les cours sont suivis en groupe et l'occasion est offerte aux participants de poser des questions sur la grossesse dans une atmosphère moins tendue que celle du cabinet du médecin. La possibilité est aussi donnée de prendre contact avec d'autres couples qui sont dans une situation analogue à la vôtre et de comparer les notes de cours. Mais selon le type de cours et les couples qui y prennent part, il ne vous est pas toujours donné de bénéficier autant que votre compagne des contacts sociaux. Lorsque ma femme et moi participions à ces réunions, le professeur discourait la plupart du temps et la partie « discussion » se résumait, pour les femmes, à comparer les poids qu'elles avaient respectivement gagnés, les maux de dos et le nombre de fois qu'elles devaient se lever durant la nuit. Ce qui était utile pour moi était le cours lui-même. À la fin de celui-ci, qu'il s'agisse d'un accouchement naturel ou sous médication, d'une césarienne ou d'une épisiotomie (incision qui élargit le vagin), je savais de quoi il s'agissait et ce qu'il fallait faire à chaque étape.

Ce qui distingue une méthode d'accouchement d'une autre est l'approche que chacune choisit pour se relaxer et faire face à la douleur. Voici quelques détails concernant les méthodes les plus courantes.

MÉTHODE LAMAZE

Au cours d'un voyage en Russie, le Dr Ferdinand Lamaze entendit parler d'une méthode de traitement de la douleur nommée *psychoprophylaxie*, selon laquelle la douleur serait un réflexe conditionné. Celle-ci s'atténue si le sujet peut concentrer son attention sur autre chose. Chez la femme en couches, c'est le mode de respiration que la méthode Lamaze utilise à cet effet. En outre, la méthode comporte une information poussée de la patiente en anatomie et en physiologie, partant du fait que mieux elle est informée, mieux elle peut se concentrer sur les phénomènes qui se produisent en elle plutôt que sur les manifestations de douleur.

MÉTHODE BRADLEY

Plutôt que de distraire son attention de la douleur ressentie, la future mère doit «accompagner sa douleur» affirme de son côté le Dr Robert Bradley. Si elle a envie de gémir, on doit l'inciter à le faire ; si elle a envie de crier, il faut l'encourager à crier. La méthode Bradley porte aussi toute son attention à l'exercice et au régime alimentaire. Plus de quatre-vingt-dix pour cent des patientes ayant adopté la méthode Bradley ont un accouchement «naturel». Bradley est aussi l'initiateur de la méthode d'accouchement «assistée» par le mari et il a déployé plus d'efforts que quiconque en vue d'inclure le père dans le processus de la naissance.

MÉTHODE PSYCHOSEXUELLE DE KITZINGER

La pédagogue d'origine britannique Sheila Kitzinger est convaincue que des sensations sexuelles agréables peuvent être suscitées au cours de l'accouchement et que ces sensations ont pour effet de détendre la femme pendant la période de travail. Sheila Kitzinger pense aussi que l'accouchement à domicile est la meilleure solution, parce que la naissance est un processus de nature familiale et que tous doivent s'y associer.

MÉTHODE LEBOYER

Dans les hôpitaux, les salles d'accouchement sont souvent des endroits bruyants et violemment éclairés. Le Dr Leboyer, obstétricien français, soutient qu'un tel environnement est fort irritant et fort énervant pour le nouveau-né. Les bébés « Leboyer » viennent au monde dans une ambiance feutrée, la mère étant partiellement immergée dans de l'eau tiède.

MÉTHODE DICK-READ

Cette méthode a été mise au point par un obstétricien anglais du nom de Grantley Dick-Read. Celui-ci assure que la douleur éprouvée au cours du travail trouve son origine dans des images que la future mère a assimilées à travers sa propre culture. Ses séances préparatoires à l'accouchement comportent trois parties :

- Étude de l'anatomie et de la physiologie de l'accouchement, ce qui permet de dissiper l'idée que l'accouchement doit être douloureux.
- Séances de relaxation, de préparation physique et d'exercices respiratoires.
- Établissement d'une relation thérapeutique entre la future mère et son médecin, relation qui favorise la confiance chez la future mère, soulage ses appréhensions et l'aide à se relaxer.

Les cours prénatals durent normalement de cinq à neuf semaines mais, si vous vous y êtes pris trop tard, vous

«Moniteur d'accouchement», un terme à proscrire

Presque toutes les méthodes classiques d'accouchement comparent le rôle du futur père dans le processus de l'accouchement à celui d'un «moniteur» ou entraîneur sportif. Ce rapprochement semble avoir été suggéré pour la première fois par le Dr Robert Bradley, concepteur de la méthode qui porte son nom. Aujourd'hui, la plupart des futurs pères (tout au moins ceux qui suivent les cours prénatals) et leurs compagnes se plaisent à désigner ainsi leur rôle au moment de l'accouchement. Cependant, en accord avec la professeure Katharyn May, je crois qu'il y aurait lieu d'écarter cette comparaison pour les raisons suivantes:

- La notion même de «moniteur d'accouchement» fixe l'attention sur le rôle du père qui se trouve ainsi réduit à la brève période du travail et de l'accouchement proprement dits et minimise son impact important tout au long de la période de la grossesse, et au-delà.

- L'idée d'entraîneur qui s'y rattache renforce le stéréotype sexiste du père, le géniteur, et déshumanise celui-ci dans son rôle unique de compagnon, tout au long de l'expérience exigeante d'une vie de couple. Elle exerce aussi une pression trop forte sur le père en suggérant qu'il devrait prendre la direction des opérations si les choses devaient mal tourner pendant le travail et l'accouchement.

Si donc quelqu'un vous qualifie de « moniteur », dites-lui que vous n'êtes pas celui qu'il croit, mais simplement le père de l'enfant.

pourriez encore vous inscrire à des cours accélérés de deux ou trois jours. Votre praticien ou la maternité de l'hôpital où vous comptez accoucher sont d'excellentes sources de renseignements à cet égard.

COMMENT PROFITER AU MAXIMUM DES COURS PRÉNATALS

Il est certain que vous devez suivre un cours préparatoire à la naissance. Notez cependant que ces cours sont exclusivement orientés vers votre compagne, sur ce qu'elle ressentira, sur ce qu'elle éprouvera, et sur la façon dont vous

Réanimation cardio-respiratoire d'un bébé

Un autre cours que vous devriez essayer de suivre encore ce mois-ci est celui qui a pour objet la réanimation cardio-respiratoire d'un bébé. Si vous remettez cet apprentissage à plus tard, vous risquez de ne plus jamais trouver le temps de le suivre. En espérant que vous n'aurez jamais à utiliser vos connaissances dans ce domaine, il est important de les acquérir, pour votre propre tranquillité d'esprit et pour la sauvegarde de l'enfant. Vous trouverez tous les renseignements pertinents dans vos cours prénatals, auprès du pédiatre, si vous en avez déjà choisi un, ou de l'hôpital où l'accouchement est prévu, ou encore auprès du bureau local de la Croix rouge.

pouvez l'aider. Toutes ces choses sont très importantes, mais en toute logique vous pourriez encore demander : « Et moi, dans tout cela ? » La lecture de ce livre vous aidera à vous préparer aux expériences émotionnelles et physiques

Ce que vous n'apprendrez pas au cours prénatal

Le cours préparatoire à l'accouchement vous fournit une part importante des connaissances que vous devez acquérir à ce propos, pourtant voici un point que le cours n'aura probablement pas abordé :

- **N'hésitez pas à poser des questions**

  En dépit du nombre de livres que vous aurez lus et relus et des divers champs couverts par les cours, quelque chose d'insolite pourrait se produire au cours du travail et de l'accouchement. En ce cas, faites-vous expliquer les gestes ou les étapes dont la signification vous échappe. Si vous ne saisissez pas du premier coup, insistez pour obtenir un supplément d'information.

- **L'accouchement est avant tout l'affaire de votre compagne et la vôtre**

  Bien qu'il soit normal que les praticiens prennent la direction technique des étapes du travail et de l'accouchement, surtout si quelque chose d'inattendu devait se produire sur le plan humain, il s'agit de « votre » accouchement. Il est important que vous en compreniez toutes les étapes, n'hésitez donc pas à demander les renseignements que vous jugerez nécessaires.

que vous allez vivre pendant la grossesse et l'accouchement. Au moment où votre compagne et vous entrerez dans la période de travail, vous serez l'un et l'autre en état de choc. Vous serez tous deux sous tension et aurez besoin d'un soutien tant psychologique que physique.

Chaque fois que ma femme a commencé le travail préliminaire à l'accouchement, je me suis efforcé d'appliquer les principes appris pendant les cours prénatals. Je l'ai rassurée, lui ai parlé, massé le dos et les jambes, épongé le front et présenté des glaçon à sucer. Mais personne n'était là pour me rassurer lorsque, moi, je me sentais inquiet. Ni ce livre que vous lisez, ni aucun autre livre, ne pourra non plus le faire pour vous. Mais il y a heureusement un moyen, tant pour vous que pour votre compagne, d'arriver à surmonter le problème des traumatismes pendant le travail et l'accouchement, c'est de faire appel à une *doula*.

QU'EST-CE QU'UNE *DOULA* ?

Doula est un mot grec désignant une « femme qui soigne une autre femme ». Souvent la doula a elle-même eu des enfants et toutes ont subi une formation intensive au cours de laquelle on leur apprend comment apporter à la future mère et à son compagnon l'aide émotionnelle et psychologique dont ils ont besoin et les informations concernant l'accouchement lui-même.

Si l'on en croit le Dr Marshall Klaus, le concept de la doula n'est pas récent. Depuis des centaines d'années, les femmes enceintes appartenant à plus de cent vingt-cinq cultures différentes ont eu recours à une autre femme pendant la période de travail et pour l'accouchement. Ce fut aussi le cas en Amérique du Nord. Mais à partir des années 1930, les femmes accouchèrent plus souvent à

Les accompagnantes

Au Québec, il existe des associations, le plus souvent régionales, formées de femmes qui se donnent pour tâche de seconder les jeunes mamans avant, pendant et après l'accouchement. Ces modalités sont fixées d'après le plan d'aide établi au préalable entre le ou les parents et l'accompagnante.

Cette dernière est très souvent elle-même une mère de famille. Elle a acquis une formation spéciale qui la rend apte à informer, à écouter et à rassurer la future mère et le futur père pendant la grossesse, ainsi qu'à les aider à se préparer psychologiquement à la naissance toute proche.

Pendant l'accouchement, elle réconforte la mère au cours du travail et encourage le père de ses conseils. L'accompagnante aide la maman en couches à gérer la douleur et lui propose des moyens efficaces de faciliter la venue du bébé. Elle ne prend congé du couple que lorsqu'ils ont la pleine maîtrise de la situation et se sentent rassérénés.

Au cours des visites postnatales qui complètent son intervention, elle répond aux questions que les parents lui posent et veille à ce que tous les membres de la famille (parents, bébé et frères et sœurs, si c'est le cas) se sentent bien mentalement autant que physiquement

Toujours suivant l'entente prise soit avec la mère ou le père, soit avec les deux, l'accompagnante peut organiser des rencontres prénatales pendant la grossesse, peut également être présente pendant toute la durée de l'accouchement et apporter l'aide nécessaire à la mère aussi bien qu'au père, ou peut coordonner des rencontres postnatales où elle apporte des précisions et éclaircissements sur l'allaitement du nouveau-né, sur ses besoins propres et ceux des autres membres de la famille.

D'autres services sont également disponibles :

a) la préparation à un AVAC (accouchement par le vagin, après une césarienne) ;

b) le prêt de livres et de documentation ;

c) l'aide à la rédaction du plan de naissance ;

d) des rencontres d'information pour les grandes sœurs et grands frères en devenir ;

e) l'accompagnement des enfants qui assistent à l'accouchement ;

f) la prise de films ou de photos pendant la naissance du bébé et les premiers moments qui suivent ;

g) de retour au domicile, la prise en charge temporaire du ménage.

Les services rendus par une accompagnante ne sont pas couverts par l'assurance maladie et ils constituent donc des actes tarifés. Leur coût, calculé d'après les demandes, peut varier de trois cents à cinq cents dollars canadiens ou plus.

l'hôpital qu'à domicile et les tiers furent exclus de la salle d'accouchement, à l'exception du médecin et de l'accouchée. En 1980 pourtant, le Dr Klaus et ses collègues ont réintroduit aux États-Unis le concept de la doula et ont conservé ce nom.

Je dois reconnaître que, lors de ma rencontre avec le Dr Marshall Klaus, mon premier mouvement a été de refuser l'intervention d'une doula. J'avais déjà beaucoup trop investi à l'occasion de cette grossesse ; il n'était pas question, d'autre part, que quelqu'un s'immisce entre ma femme et moi pendant les étapes critiques. Toutefois, au fur et à mesure de mes rencontres avec le médecin, j'ai commencé à changer d'avis.

J'ai appris que la présence d'une doula pouvait avoir une incidence positive sur la durée du travail (réduction jusqu'à vingt-cinq pour cent), sur la nécessité d'administrer un analgésique (réduction jusqu'à quarante-sept pour cent), sur l'application de forceps (réduction de trente-cinq à quatre-vingt-deux pour cent), et sur la nécessité d'une césarienne (réduction de trente-quatre à soixante-sept pour cent). Compte tenu du travail long et pénible vécu par ma femme lors de son premier accouchement, j'ai commencé à penser qu'une doula lui serait sans doute utile pour le prochain accouchement.

Mais que pouvait la doula pour moi ? Ne m'écarterait-elle pas tout simplement de son chemin ? « Le rôle de la doula est d'aider les parents à vivre l'expérience de la naissance comme ils le souhaitent, assure le Dr Klaus. Elle ne tentera jamais de prendre le contrôle du processus de la naissance. Nous faisons l'erreur de penser qu'un père, après avoir suivi les cours prénatals, a les connaissances et les aptitudes nécessaires pour toute la période de travail. Ce n'est pas le cas. Une doula peut aider l'homme en ce sens, calmer son anxiété, lui apporter réconfort et encouragements et lui permettre de soutenir sa compagne de manière attentive et efficace. »

Beaucoup d'hommes qui ont suivi les cours de préparation à l'accouchement, se sentent encore peu sûrs de la façon dont ils pourraient réagir pendant la période de travail. D'autres souhaitent être entièrement inclus dans la période de grossesse, mais demeurent convaincus que le travail et l'accouchement sont des expériences pour lesquelles les femmes sont mieux préparées que les hommes. Si vous vous reconnaissez dans l'une ou l'autre de ces catégories, ou si vous vous sentez rassuré à l'idée de pouvoir compter sur une aide compétente pendant la période de travail, envisagez la solution de la doula.

ET SI VOUS PRÉFÉREZ NE PAS ASSISTER À L'ACCOUCHEMENT

Il y a bien des années, personne n'aurait imaginé qu'un père puisse assister et participer à la naissance de son enfant. De nos jours, les pères qui n'y assistent pas avec enthousiasme sont souvent considérés comme des Néandertaliens insensibles. « Il faut trouver le juste milieu entre les options offertes pour la participation du père et la pression pour leur faire adopter des niveaux d'implication qu'ils pourraient ne pas souhaiter ou qui ne leur conviendraient pas » estime Katharyn May. La vérité est que nous ne ressentons pas tous le même besoin de s'engager en ce sens et que, pour certains, le dernier endroit où ils souhaiteraient se trouver est bien une salle d'accouchement.

Il se peut que vous ne supportiez pas d'assister à une intervention médicale ou que vous craigniez de perdre votre contrôle pendant l'accouchement. Peut-être ne pouvez-vous supporter de voir souffrir votre compagne ou simplement que vos sentiments au sujet de la grossesse soient ambivalents. Peut-être aussi avez-vous du ressentiment contre d'autres personnes qui vous pressent de vous impliquer davantage. Il est important de vous rappeler que tous ces sentiments, ainsi que d'autres encore qui vous inciteraient à ne pas être présent, n'ont rien que de très normal et qu'ils sont partagés par plus d'hommes que vous ne pensez.

Si vous êtes moins qu'enthousiaste à l'idée d'être enrôlé dans le processus de l'accouchement, il vous reste à considérer l'une ou l'autre des suggestions suivantes :

- **Parlez à d'autres pères de vos appréhensions**
  Entendre rapporter ce que d'autres personnes ont vécu peut aider à surmonter certaines réticences. Vous pouvez aussi découvrir que vous n'êtes pas le seul de votre espèce.

- **Efforcez-vous de comprendre le point de vue de votre compagne**
  Au lieu d'essayer de comprendre pourquoi vous réagissez comme vous le faites, votre compagne risque d'interpréter vos craintes comme un manque d'intérêt pour elle et le bébé.

- **Parlez à votre compagne**
  Dites-lui ce que vous pensez et expliquez-lui pourquoi. En même temps, rassurez-la quant à votre engagement vis-à-vis d'elle et du bébé.

- **Faites-le pour elle**
  Quoi que vous disiez à votre compagne, votre décision de ne pas assister à la naissance ou d'esquiver les cours de préparation la blessera. Si vraiment vous ne vous sentez pas de taille à le faire, essayez au moins de suivre les cours prénatals. Cette résolution l'aidera à se sentir mieux comprise et vous pourrez peut-être de cette façon mieux comprendre ce qui bloque votre décision.
  Relisez les pages 138 à 142 à ce sujet.

- **N'allez pas vous prendre pour un raté**
  Certes non ! Près de la moitié des futurs pères ont au moins des sentiments ambivalents au sujet de la grossesse

et de l'accouchement. Si vous êtes entraîné de force dans un rôle qui vous met mal à l'aise, ni vous ni votre compagne n'en retirerez du bien.

- **Ne cédez pas aux pressions**
Si, après mûre réflexion, vous préférez toujours vous abstenir, suivez votre penchant. Mais tenez-vous-en à cette décision, car votre famille, vos amis et le médecin vous suggéreront probablement de cesser de faire la mauvaise tête et de faire votre « devoir de père ».

- **N'ayez pas d'inquiétude au sujet de l'enfant**
Quoi qu'il y ait des preuves évidentes de son influence bienfaisante sur les enfants, l'établissement précoce des liens paternels ne souffrira pas de votre absence au moment de la naissance et celle-ci ne handicapera pas vos enfants. Il vous sera encore possible d'établir une relation étroite avec eux. Toutefois, établissez le contact dès que vous le pourrez et jouez à leur égard un rôle aussi actif que possible.

Dresser des listes et les vérifier deux fois

L'état de votre compagne

Physiquement

- Activité toujours plus grande du fœtus
- Pertes vaginales plus importantes
- Accroissement du malaise général
- Mictions fréquentes
- Insomnies
- Augmentation de la fatigue
- Respiration courte ; le bébé occupant plus de place, comprime les organes internes
- Rétention d'eau et gonflement des mains, des pieds et des hanches
- Contractions de Braxton-Hicks plus fréquentes

Émotivement

- Se voit comme un être à part : les gens lui offrent leur siège dans les autobus ou dans les salles de spectacle ; les employés des magasins se précipitent pour l'aider
- Impression d'être connectée à des personnes qui seraient membres d'une confrérie secrète (des inconnues lui confient leurs expériences de grossesse ou touchent son ventre)
- Sentiment d'être particulièrement attrayante ou, au contraire, affreuse
- Doutes quant à ses aptitudes de jeune maman
- Inquiétude concernant le retour de son corps à la normale
- Appréhension à l'idée de perdre les eaux en public

L'état du bébé

En ce moment, la plupart des bébés ont adopté la position « tête en bas » qu'ils garderont jusqu'à la naissance. Le bébé devient grand et fort (45 cm – 2,5 kg) ; ses mouvements sont si puissants qu'il est souvent possible de deviner quelle est la partie du corps du bébé qui a porté le coup. Il peut maintenant ouvrir les yeux et réagit différemment à la voix de sa mère et à la vôtre.

Et vous dans tout cela ?

Le côté « public » de la grossesse

Malgré son caractère strictement privé, la grossesse est indéniablement ostensible. Le ventre arrondi de votre compagne peut susciter des réactions qui vont du meilleur au pire. De parfaits étrangers lui ouvriront leur porte, proposeront de l'aider à porter ses paquets ou lui offriront un siège dans les autobus bondés. D'une certaine manière, la sympathie du public pour les femmes enceintes, qui symbolisent le processus de création de la vie, réjouit le cœur. Mais il arrive un moment où cet afflux d'intérêt pour leur état, joint au souci de leur confort, commence à ressembler à une intrusion dans leur vie privée.

Des personnes s'adressaient à ma femme en toute occasion et se mettaient à lui parler. Ces « conversations » commençaient généralement par des questions innocentes du genre « C'est pour quand, ma petite dame ? » ou par des pronostics sur le sexe du futur bébé. Après un moment, inévitablement, la litanie des horreurs commençait à s'égrener : nausées matinales débilitantes, grossesses de dix mois, périodes de travail de trente heures, césariennes d'urgence, anesthésies inefficaces... Comme si tout cela ne suffisait pas, on prenait alors l'initiative de la palper ou de lui tapoter le ventre.

Le plus étonnant est que la plupart des femmes semblent prendre tout cela avec un calme olympien. À tout moment, je m'attendais à voir ma femme mordre la main de l'un de ces sans-gêne, mais cela ne s'est jamais produit. Chez certains hommes cependant, de tels gestes suscitent un sentiment de fureur : « Que personne ne s'avise de toucher au ventre de ma femme ! » Si d'aventure cela vous arrive, alignez votre comportement sur celui de votre compagne. Si elle reste impassible, essayez de vous calmer.

Panique

Exactement six semaines avant la naissance de notre première fille, j'ai soudainement compris que nos jours sans enfant touchaient à leur fin. Je n'étais pas angoissé au sujet de ma paternité toute proche, au contraire, je me sentais en confiance et prêt à assumer mon nouveau rôle : j'avais beaucoup lu sur la question, ma femme et moi avions suivi les cours préparatoires à l'accouchement et nous avions discuté entre nous de l'ensemble de nos préoccupations et de nos craintes.

Ce qui me turlupinait était beaucoup plus superficiel : une fois le bébé arrivé, il se passerait un temps interminable avant que nous ne soyons à nouveau libres d'aller au cinéma, au théâtre ou au concert (ou tout simplement d'aller quelque part où nous serions tranquilles), ou encore de sortir jusqu'aux petites heures avec nos amis.

Or il s'est fait que ma femme a eu les mêmes pensées au même moment, si bien que pendant les deux derniers mois de cette première grossesse, nous nous sommes efforcés de sortir plus souvent, d'aller au cinéma, au théâtre et de passer plus de soirées avec des amis que nous ne nous l'étions accordé au cours des trois années précédentes.

En plus de multiplier les sorties pendant ces derniers mois de grossesse, songez à accumuler aussi quelques réserves : lorsque votre compagne ou vous préparez de la nourriture, pensez à doubler ou même à tripler les quantités et à surgeler le surplus en portions pour deux personnes. Au cours des premières semaines qui suivront la naissance, vous serez heureux de pouvoir dégeler une sauce spaghetti plutôt que de devoir en préparer de la nouvelle.

L'instinct de nidification

Après les nausées matinales et les envies incongrues de frites à deux heures du matin, le plus connu des stéréotypes concernant la femme enceinte est son « instinct de nidification ». La plupart des femmes, à un moment ou un autre de leur grossesse, sont obsédées, souvent inconsciemment, par la préparation de la maison en vue de l'agrandissement de la famille : armoires et débarras sont nettoyés et les meubles qui n'ont pas bougé de place depuis des années doivent soudainement être déménagés pour un nettoyage à fond du parquet.

À côté de toute cette pulsion toute féminine, plusieurs études ont révélé que le futur père subissait souvent une pression instinctive analogue. Outre les préoccupations de nature financière, beaucoup d'hommes passent de longs moments à assembler – sinon à fabriquer – berceaux, tables à langer et autres meubles pour enfants, à peindre et à décorer la chambre du bébé, à répartir le mobilier dans le reste de la maisonnée et peut-être même à dénicher un espace supplémentaire où pouvoir loger la famille qui s'agrandit.

Pour certains pères en devenir, c'est là une façon de s'occuper pour éviter de se sentir quelque peu laissé de côté. Mais pour d'autres, cette activité représente quelque chose de plus fondamental. Comme le constate Pamela Jordan, des travaux de ce genre représentent sans doute la première occasion pour le père de réaliser quelque chose de tangible pour le bébé.

Encore quelques mots au sujet de la sexualité

Alors que le deuxième trimestre est souvent une période de recrudescence du désir et de l'activité sexuelle, il n'est pas rare que le troisième trimestre marque une pause dans ce domaine. Les principales raisons en sont:

- La crainte de blesser à la fois votre compagne et l'enfant.
- La crainte que l'orgasme de votre compagne ne provoque un début de contractions.
- L'inconfort physique de votre compagne.
- Les modifications physiques de son corps qui rendent impraticables les positions habituelles.
- Votre sentiment de l'évolution des rôles. Sous peu, votre compagne ne sera plus seulement la femme de votre vie, elle sera aussi mère, quelqu'un de semblable à votre propre mère. Pensez aussi qu'en commençant à vous considérer comme un père potentiel, votre compagne aura de son côté – inconsciemment – des réactions analogues.

Sauf avis contraire du médecin, les rapports sexuels ne devraient pas constituer de risque pour le bébé ou pour votre compagne. Comme on l'évoque à la page 103, si vous êtes toujours l'un et l'autre attirés par le sexe, il vaudrait la peine d'essayer quelques positions nouvelles. Répétons toutefois que si votre compagne et vous n'êtes pas sur la même longueur d'ondes à ce propos, il serrait indispensable de débattre à fond de cette question ensemble.

Plusieurs chercheurs ont noté qu'un nombre restreint de futurs pères ont des relations extraconjugales au cours des derniers moments de la grossesse. Mais ces « intrigues » naissent rarement pour les raisons que vous pourriez imaginer. Le Dr Jerrold Shapiro est d'avis que la plupart des hommes qui ont eu de telles aventures partagent les mêmes caractéristiques :

- Ils se sentaient extrêmement attirés par leur compagne et étaient fort intéressés par des « contacts sexuels affectueux » avec elle.
- Ils se sentaient exclus des processus entourant la grossesse et l'accouchement.
- Les relations ont eu lieu avec une amie intime ou une parente de la compagne. Cela semblerait indiquer que cette amie se sentait également écartée de la vie de la compagne pendant la grossesse de cette dernière.

Les femmes enceintes peuvent aussi avoir des aventures pendant leur grossesse. De fait, le Dr Shapiro remarque que les femmes, tout autant que les hommes, sont susceptibles d'avoir des relations extraconjugales. Les partenaires qui se trouvent soudain privés du plaisir sexuel – et qui se sentent rejetés ou incompris – peuvent être tentés de satisfaire leurs désirs ailleurs.

Projets pour la naissance

La liberté relative de choix dont jouissent les couples en attente d'un enfant à l'égard d'un certain nombre de techniques concernant le travail, l'accouchement et la période postnatale est assez récente. Même si vous laissez

Exemple type d'une liste de *desiderata*

Le présent document décrit nos souhaits pour les périodes de travail, d'accouchement, et pour la période postnatale. Ces projets peuvent être modifiés pour raisons médicales, si une complication devait survenir.

- Pendant le travail et l'accouchement, la mère souhaiterait être libre de prendre la position qu'elle préfère ou qu'elle juge utile pour la naissance.

- Si aucune raison médicale ne s'y oppose, le bébé sera confié immédiatement à la mère dès sa naissance.

- Le père voudrait pouvoir saisir le bébé au moment où il fait son apparition.

Nous voudrions remercier tous ceux et celles qui ont pris part à cet accouchement pour leur aide précieuse et pour leur coopération

aux médecins et aux sages-femmes toute latitude à ce sujet, l'expérience de la naissance est plus enrichissante et moins stressante si votre compagne et vous passez quelque temps à réfléchir à ce que vous voulez réellement et à le consigner par écrit.

Cette liste vous aidera à vous fixer des objectifs et à prendre des décisions en vue du travail et de l'accouchement tandis que vous avez encore la tête froide. Rappelez-vous cependant que les choses se passent rarement comme on les a prévues. Soyez donc souple. En outre, veillez à discuter de vos projets avec le praticien accoucheur et avec l'hôpital. Peut-être certaines normes politiques internes s'opposent-elles à vos désirs. En prévision de cela, vous pourriez aborder ces quelques points avec eux.

- **Analgésiques**

  Souhaitez-vous que le personnel de l'hôpital offre de faire usage d'analgésiques s'ils jugent que votre compagne pourrait en avoir besoin ? Ou préférez-vous qu'on attende qu'elle le demande elle-même ?

- **Votre présence à ses côtés**

  Souhaitez-vous rester ensemble, votre compagne et vous, pendant toute la durée du travail et de l'accouchement ?

- **Photos et vidéos**

  Souhaitez-vous en prendre ? Prenez les dispositions nécessaires en accord avec le médecin et le personnel infirmier.

- **Césarienne**

  En cas de césarienne, pourrez-vous rester auprès de votre compagne ou en serez-vous séparé ? Serez-vous séparés uniquement pendant l'anesthésie rachidienne ou pendant toute l'opération ?

- **Le bébé**

  Souhaitez-vous que le personnel de l'hôpital emporte le bébé pour procéder à la toilette et aux examens d'usage ou préférez-vous qu'il soit d'abord déposé dans vos bras ou près de votre compagne ?

- **Après la naissance**

  Souhaitez-vous que le bébé soit mis au sein immédiatement ou sera-t-il nourri au biberon ? Souhaitez-vous que le bébé reste en permanence avec l'un de vous ou qu'il soit confié à la pouponnière de l'hôpital ?

Vos enfants plus âgés devraient-ils assister à la naissance ?

Faire assister les aînés à la naissance du bébé est chose compliquée, mais tout dépend des circonstances. Il est peut-être acceptable que les enfants soient présents pendant le travail et immédiatement après la naissance. Mais pour diverses raisons, les enfants de moins de cinq ans ne devraient pas assister à la naissance proprement dite.

Même des enfants bien préparés peuvent avoir des réactions imprévisibles alors que vous ne devez pas être distraits par d'autres besoins que les vôtres et ceux du bébé.

Si malgré tout, vous désirez faire assister un enfant plus âgé à la naissance de son frère ou de sa sœur, parlez-en d'abord au médecin. Ensuite procurez-vous quelques documents – images, livres, films relatifs à la naissance – et ayez quelques longs entretiens préalables avec l'enfant.

Arrêter les dernières dispositions

L'INSCRIPTION À L'HÔPITAL

Contrairement à ce que laissent croire les émissions de télévision, l'arrivée à l'hôpital ne se fait pas toujours toutes sirènes hurlantes. Heureusement pour nous, et malheureusement pour nos compagnes, il s'écoule habituellement des heures (sinon des jours) entre le début du travail et l'accouchement proprement dit de sorte que, si vous préparez bien votre programme, vous aurez normalement le temps de prendre toutes les dispositions utiles. Une fois les bagages bouclés (voir les pages 162 et 163 pour les détails), il ne vous restera plus qu'à vous faire enregistrer à l'hôpital.

Certains hôpitaux permettent ou même exigent que vous vous inscriviez quelques jours avant la date prévue pour l'accouchement. La plupart du temps, c'est votre médecin qui prend l'initiative de retenir votre place, à une date approximative, à l'hôpital où lui-même est rattaché. Les formalités sont ainsi simplifiées et vous n'avez plus à vous en préoccuper.

LE PÉDIATRE OU LA CLINIQUE DE CONSULTATION POUR NOURRISSONS

Pendant leur première année, chacune de mes filles, quoique en bonne santé, a été examinée neuf fois par un pédiatre. La clinique de consultation pour nourrissons fixe elle-même la fréquence des rendez-vous. On y pèse les bébés, on procède aux soins éventuels en cas de maladie bénigne et on administre les vaccins que tout bébé doit habituellement recevoir dans le cours de la première année.

Quoique un médecin soit et demeure un médecin, votre enfant pourrait ne pas être d'accord là-dessus. Dès l'âge de deux ans, ma fille aînée refusa absolument de voir son pédiatre habituel, un homme, et voulut qu'on se rende chez un « médecin fille ». Ne soyez pas étonné d'une telle réaction, environ soixante-quinze pour cent des enfants préfèrent un médecin du même sexe qu'eux.

Que faire en cas de problème urgent, mais qui ne constitue pas une menace pour la vie ? À qui s'adresser la nuit ou en fin de semaine ? En dehors des heures de consultation des cliniques, vous disposez du numéro de téléphone d'Info-santé rattaché au CLSC local ou régional. Ce service entièrement gratuit nous a permis d'obtenir des réponses à nos interrogations parfois fort angoissées.

Rejoindre l'hôpital

Tôt ou tard, à moins que vous ne soyez forcé par les circonstances de procéder à un accouchement à domicile, votre compagne et vous devrez partir pour l'hôpital. Il y a plusieurs manières de vous y rendre, chacune présentant des avantages et des inconvénients :

- **À pied**

  Si vous résidez tout près de l'hôpital, vous y rendre à pied pourrait être la meilleure formule. De cette façon, vous n'auriez pas à vous soucier de savoir si vous conduirez vous-même ou si vous prendrez un taxi (voir plus loin). Attendez-vous cependant à provoquer un certain émoi chez les passants si votre compagne s'appuie aux murs toutes les trois minutes pour gémir. Mais, tout compte fait, peut-être s'y résignera-t-elle parce que la marche aide à supporter les premières contractions. Vérifiez par prudence si vous avez assez d'argent sur vous pour prendre un taxi au cas où les choses ne se passeraient pas tout à fait comme prévu.

- **En voiture**

  Si bien préparé que vous soyez, le déclenchement de la période de travail vous rendra nerveux, et cela pourrait être dangereux si vous prenez le volant. Vous risquez de vous tromper de direction ou même d'avoir un accident. Pour comble, si votre attention et votre esprit sont fixés sur la route, ils ne peuvent en même temps être auprès de votre compagne. Ensuite, lorsque vous arriverez à l'hôpital, il vous faudra garer – et plus tard d'ailleurs retrouver – la voiture.

Si vous décidez de prendre votre voiture, assurez-vous d'avoir fait le plein récemment, de bien connaître le trajet à suivre et plusieurs routes de rechange, et de partir à temps. Vérifiez aussi auprès de l'hôpital les tarifs et les heures d'ouverture du terrain de stationnement.

- **Se faire conduire (en taxi ou par un tiers)**
Étant tous deux assis sur le siège arrière de la voiture, vous pouvez au moins accorder toute votre attention à votre compagne. Mais des problèmes peuvent survenir si elle commence le travail à deux heures du matin et si le chauffeur, quel qu'il soit, met plus d'une minute ou deux à sortir du lit. En outre, comme la plupart des conducteurs ont très rarement l'occasion de conduire une femme enceinte à l'hôpital, celui à qui vous aurez fait appel sera au moins aussi nerveux que vous, peut-être même davantage. Attention aux nids-de-poule, ma femme m'assure qu'ils ont été créés par l'enfer tout spécialement pour les femmes sur le point d'accoucher.

Si vous décidez de faire appel à un taxi, gardez toujours sur vous les numéros de téléphone d'au moins trois compagnies capables de vous fournir une voiture à toute heure du jour ou de la nuit, dans les trois minutes qui suivent votre appel. Ayez toujours sur vous suffisamment d'argent pour régler la course.

SI VOUS AVEZ DÉJÀ D'AUTRES ENFANTS

Si vous avez d'autres enfants, en particulier des jeunes, le départ vers l'hôpital peut être doublement énervant et exige une planification serrée.

Vers la fin de la seconde grossesse de ma femme, nous avions résolu de prendre un taxi pour l'hôpital. Nous avions aussi décidé que si ma femme entrait en travail au cours de la nuit, nous alerterions les amis qui s'étaient proposés de prendre en charge notre fille aînée par une sonnerie de téléphone particulière : une seule sonnerie suivie, à quelques secondes, de trois sonneries consécutives.

Donc, vers une heure du matin, nous avons, un peu nerveusement peut-être, procédé au signal convenu, pour sauter ensuite dans le taxi et arriver en trombe chez ces amis où, portant une masse endormie de dix-huit kilos, je frappai à la porte, sans résultat, pendant cinq minutes avant de me décourager (nos amis n'avaient apparemment pas été réveillés par le signal convenu). Heureusement, nous avions un plan de secours et, arrivés à l'hôpital, nous avons téléphoné à mes parents qui sont rapidement arrivés pour prendre leur petite-fille en charge.

QUELQUES DÉTAILS DE DERNIÈRE MINUTE

- Gardez le numéro de téléphone du médecin à portée de main.
- Assurez-vous que le réservoir d'essence de votre voiture soit toujours rempli et gardez un jeu de clés de réserve en un endroit convenu, ou le montant de la course en taxi tout prêt.
- Vérifiez si les routes ne sont pas coupées ou en réparation sur le trajet qui conduit à l'hôpital.
- Pendant vos occupations journalières, restez vigilant. La période de travail peut commencer sans avertissement et peut durer longtemps, parfois plus d'un jour. Assurez-vous d'avoir pris les dispositions nécessaires pour déléguer les affaires urgentes à vos collègues ou à votre superviseur et vérifiez si la planification en vue de votre absence est en ordre. (Voir les pages 113 à 121 concernant les relations entre emploi et famille.)

Les bagages

POUR ELLE

- Son tableau favori sur lequel fixer son attention au cours du travail.
- Magnétophone et enregistrements préférés pour l'aider à se relaxer.
- Peignoir de bain qui supporte d'éventuelles taches de sang.
- Grande bouteille à paille incorporée permettant de boire des liquides clairs.
- Chaussettes chaudes ou vieilles pantoufles (qui pourraient être tachées de sang).
- Vêtements de rechange pour le retour à la maison. Non pas ceux qu'elle portait avant sa grossesse : un tricot ou un pantalon de maternité conviendrait tout à fait bien.
- Soutien-gorge de nourrice.
- Nécessaire de toilette. N'oubliez pas rince-bouche, brosse à dents et dentifrice, éventuellement accessoires pour lentilles de contact, brosse à cheveux ou peigne, et un ou deux rubans à cheveux.
- Une boîte de serviettes hygiéniques hyperabsorbantes (sauf si votre compagne se résout à porter le modèle à ceinture en usage dans les hôpitaux).

POUR VOUS

- Vêtements confortables.
- Quelques revues ou quelques œuvres de ses auteurs favoris dont vous lui ferez lecture.
- Un maillot de bain (si vous voulez passer sous la douche avec elle sans choquer le personnel de l'hôpital par votre nudité).

- Un appareil photographique chargé d'une pellicule vierge.
- L'ouvrage que vous tenez en main.
- Une glacière portative remplie de sandwiches. Vous n'aimeriez sans doute pas abandonner votre compagne en pleine période de travail pour courir à la cafétéria de l'hôpital. S'il reste de la place, un petit gâteau et peut-être un rien de champagne pourraient ajouter une touche de fête.
- De l'argent liquide. Vous devrez peut-être déposer une avance pour les frais de location d'une télévision. Faites une provision de pièces de vingt-cinq sous pour l'utilisation du téléphone public.
- Les numéros de téléphone des personnes auxquelles vous voudriez annoncer la nouvelle immédiatement.
- Votre carte d'appel téléphonique.
- Des balles de caoutchouc pour lui masser le dos.
- Brosse à dents, linge de rechange, nécessaire à raser, etc. Vous passerez sans doute au moins une nuit à l'hôpital.

POUR LE BÉBÉ

- Un siège de voiture pour bébé (si vous n'en avez pas, l'hôpital ne vous autorisera pas à quitter les lieux).
- Un nid d'ange ou autre modèle de porte-bébé pour le retour à la maison. (Il est préférable de laver tout vêtement avant de s'en servir pour le bébé.)
- Des couches (sans oublier les épingles ou les surcouches à fermeture velcro).
- Quelques couvertures, selon la saison.

Les objets essentiels pour la maison

POUR LE BÉBÉ

- Assez de couches pour au moins une semaine afin d'éviter de devoir magasiner.
- Savon et shampoing pour bébé.
- Thermomètre (le thermomètre numérique est plus pratique).
- Une poire auriculaire (normalement utilisée pour rincer les oreilles des adultes, mais on s'en sert aussi pour aspirer le mucus des narines des bébés lorsqu'ils sont encore incapables de se moucher).
- Des ciseaux à ongles (indispensables, car les ongles des bébés sont autant de minuscules lames de rasoir et poussent très vite).
- Tampons de gaze et alcool pour le nombril.
- Trois ou quatre brassières.
- Trois ou quatre grenouillères.
- Trois ou quatre salopettes à fermeture à pression.
- Un chapeau de soleil ou un cache-nez.
- Un vêtement de neige (si nécessaire)
- Biberons et lait en poudre, même si le bébé est nourri au sein.
- Trois ou quatre couvertures pour bébé.

POUR VOTRE COMPAGNE

- Coussin à langer.
- Beaucoup de serviettes hygiéniques hyperabsorbantes.

- Lait et vitamines, surtout si elle nourrit l'enfant.
- Ses fleurs et chocolats préférés ou autres friandises déconseillées ou interdites pendant la grossesse.
- Un bon livre sur les premières années de bébé.

La chambre de Bébé : ce dont vous aurez besoin

Lorsque vous acquérez quelque chose pour Bébé, la sécurité doit être votre premier souci. Avant de dépenser une fortune pour acheter un berceau datant du Régime français ou de ressortir celui où vous-même, votre père ou peut-être votre grand-père avez dormi étant bébés, persuadez-vous bien que le bébé utilisera au mieux ce vénérable objet pour mettre sa propre vie en danger. Il essayera de passer la tête entre les barreaux du berceau et tentera de s'enfouir sous le monceau de couvertures que vous aurez entassées dans l'un des angles.

Les meubles pour bébés fabriqués actuellement doivent être conformes aux dernières normes en vigueur. Pour votre information et pour allier qualité et sécurité, consultez un guide de l'acheteur sérieux.

Il y a littéralement des centaines de choses que vous pouvez acquérir pour la chambre de bébé, mais certaines sont indispensables au premier chef. Par comparaison avec les prix au détail pour les marchandises neuves, le marché d'occasion permet d'économiser jusqu'à quatre-vingts pour cent du montant que vous auriez dû débourser. Toutefois, avant d'acheter quoi que ce soit d'occasion, soyez sûr que la marchandise répond aux règles de sécurité auxquelles il est fait allusion ci-dessous.

Meubles pour bébé

LE BERCEAU

Rien n'évoque mieux la notion de « bébé » qu'un berceau. Il n'est donc pas étonnant que ce soit la première pièce du mobilier à laquelle vous penserez. Voici à ce propos quelques points auxquels il vaut mieux penser en matière de sécurité :

- Évitez les montants à extrémité libre. Les bébés pourraient accidentellement s'étrangler si leurs vêtements s'accrochaient à de tels montants. Les berceaux actuels ne comportent aucun élément de ce genre ; si vous tenez absolument à vous servir d'une antiquité qui en est dotée, démontez ceux-ci ou sciez les sections dangereuses.
- Les lamelles ou les barreaux ne peuvent être espacés entre eux de plus de 6 cm, et aucun ne peut être ni brisé ni manquant.
- Ne jamais placer le berceau près de tentures, stores ou autres dispositifs pourvus de longs cordons fixés à une extrémité. Les bébés pourraient s'y entortiller.

LE MATELAS DU BERCEAU

On sera surpris d'apprendre que le matelas se vend souvent séparément du berceau. Serait-ce parce que certains bébés auraient une tendance à préférer les matelas fermes alors que d'autres n'aimeraient que les matelas souples ? Ne lésinez pas sur la qualité du matelas, et pourquoi, d'ailleurs, celui que vous achèterez aujourd'hui ne pourrait-il pas servir successivement à plusieurs enfants ? Vérifiez s'il est bien recouvert d'un plastique de protection.

Quelques conseils relatifs à la sécurité :

- Il est préférable que le matelas soit ferme. Des études ont montré qu'un matelas souple augmente les risques de

« mort subite du nourrisson ». C'est aussi pour cette raison que l'on ne place pas d'oreillers dans un berceau.

- Le matelas doit s'adapter aux dimensions du berceau : pas plus de deux doigts d'espace libre entre le matelas et le berceau.

QUELQUES ACCESSOIRES POUR BERCEAU

Le pare-chocs

Le bébé ne maîtrise pas encore très bien ses mouvements et pourrait se cogner suffisamment fort contre les barreaux du berceau pour s'en imprimer la marque sur le front. Ce heurt lui rappellera peut-être les chocs contre l'os du pubis de sa mère pendant les derniers mois de la grossesse.

Les mobiles

Certains des plus beaux et des plus coûteux mobiles sont conçus pour être vus du côté d'où le regarde la personne qui le choisit. Pensez donc, en l'achetant, à celui ou à celle à qui il est destiné et qui le regardera d'en bas. Il faut savoir que les tout jeunes enfants ne peuvent pas encore bien distinguer les formes, mais bien les couleurs contrastées. C'est pourquoi, entre autres, les mobiles noir et blanc semblent particulièrement leur plaire.

Le moïse

Pour les tout premiers mois de la vie de votre bébé, vous préférerez peut-être qu'il dorme dans votre chambre. Entre autres, un tel arrangement facilite de beaucoup l'allaitement au sein. Le moïse peut généralement convenir au bébé jusqu'à l'âge de trois mois. On les trouve en différentes présentations et de styles variés (avec ou sans roulettes, avec ou sans poignées, avec ou sans patins berceurs).

Le siège de voiture

C'est le plus indispensable des accessoires pour bébés puisque, comme indiqué plus haut, vous ne pourriez même pas sortir votre enfant de l'hôpital sans lui. Vous pourriez même songer à en acquérir deux, un petit, éventuellement équipé de poignées pour transporter le bébé hors de la voiture et que vous utiliserez jusqu'à ce que l'enfant pèse près de dix kilos, et un plus grand pour plus tard.

La table à langer

Les modèles de tables à langer sont nombreux et de dimensions et styliques variés. Certaines possèdent des tiroirs, ce qui permet de les utiliser plus tard comme coiffeuse ou table de toilette. Avant de langer le bébé, veillez cependant à sortir des tiroirs tout ce qui sera nécessaire afin de ne pas devoir y farfouiller à l'aveuglette pour en sortir le linge de rechange. N'oubliez pas le coussin de mousse pour la table et quelques housses lavables. Les tiroirs devraient être pourvus de :

• Couches
• Débarbouillettes jetables
• Pommade contre les rougeurs
• Tampons de gaze et alcool pour le nombril
• Shampoing et savon pour bébé

Remarque : N'employez pas de talc pour bébé. Beaucoup de pédiatres pensent que la suspension de poussières dans l'air pourrait lui nuire.

Le parc

C'est une solution idéale pour les enfants dont la taille ne dépasse pas quatre-vingts ou quatre-vingt-dix centimètres et qui pèsent moins de treize ou quatorze kilos. Non seulement le parc se plie facilement et peut être emporté en voyage, mais il peut aussi être utilisé à la maison. Certains enfants de nos connaissances ont vécu dans leur parc pendant les dix-huit premiers mois de leur existence.

La poussette

Une bonne poussette peut vous embellir la vie. Ne perdez ni temps ni argent à en acquérir une qui ne durera pas. Nous avons emmené notre aînée et sa poussette partout dans le monde et la poussette est toujours en parfait état. Acheter une poussette de qualité ne signifie pas en choisir une qui soit munie de toutes les options imaginables. Tenez-vous-en à l'essentiel : légèreté, maniabilité, freins sûrs et bon équilibre (évitez le modèle qui renverse cul par-dessus tête lorsque le bébé y est installé). Vérifiez si vous pouvez la pousser tout en conservant une position droite normale. Comme les poussettes sont conçues pour être utilisées avant tout par des personnes de taille moyenne, toute personne de plus d'un mètre soixante-quinze devra malgré tout se pencher pour les manœuvrer. Le problème n'apparaît pas tout de suite, mais après quelque temps, le dos pourrait protester. Si c'est votre cas, sachez qu'il existe des poignées adaptables qui permettent, pour un prix modique, d'adopter une position plus normale. Les citadins qui utilisent souvent le bus ou le métro ont, quant à eux, besoin d'une poussette résistante mais facilement pliable d'une seule main tandis qu'ils tiennent l'enfant de l'autre. À défaut de cet équipement, il est presque impossible d'utiliser les transports en commun, tout au moins sans gêner tous ceux qui vous suivent.

La baignoire

La baignoire pour adulte serait démesurée et pourrait être dangereuse pour les nouveau-nés. Une petite baignoire de plastique est la meilleure solution. Quand le bébé sera devenu trop grand, vous pourrez utiliser ce récipient pour faire tremper du linge.

Les couches

Il y a quelques années, personne n'aurait songé que des couches pour bébé soulèveraient de tels remous en politique et que quelque chose d'aussi humble pourrait nouer et dénouer des amitiés. Ce fut pourtant le cas. En voici la raison.

Les couches jetables constituent un pour cent des déchets ménagers. Elles sont faites de matière plastique et subsisteront sous leur forme actuelle pendant des milliers d'années. Les couches biodégradables qui se décomposent en cinq cents ans seulement sont disponibles actuellement dans de nombreuses villes.

Les couches en tissu, par ailleurs, sont des produits naturels à base de coton, dont la production exige des terrains de culture. Et pour s'assurer que ces couches soient stériles, les fabricants les lavent sept fois (*sic*) dans de l'eau presque bouillante. Ce procédé consomme une énorme quantité d'énergie, d'eau et de détergents chimiques. Les couches ainsi préparées sont transportées par camions qui remplissent l'air de polluants toxiques.

Vous avez le choix…

Nous avons commencé par utiliser des couches en tissu pour notre fille aînée. Or j'ai constaté qu'une fois la couche remplie, celle-ci avait tendance à transférer une partie de son contenu sur mon pantalon, ce qui était non seulement désagréable, mais exigeait des nettoyages supplémentaires. Peut-être était-ce la conséquence de ma piètre habileté à langer ma fille, mais je suis convaincu que les langes jetables, munis d'un élastique qui entoure les cuisses, réussissent à mieux circonscrire la zone souillée.

Certains prétendent que les bébés protégés par des couches jetables ont tendance à devenir propres plus tardivement que ceux pour qui on utilise des couches en tissu. Il semblerait que les couches jetables protègent si bien le bébé de l'humidité que ce dernier se sent à l'aise jusqu'à un âge plus avancé.

Même si vous décidiez de ne pas utiliser de couches en tissu pour le bébé, il est malgré tout bon d'en avoir une petite quantité. Elle conviennent parfaitement pour sécher les fesses du bébé, sur la table à langer, ainsi que pour protéger vos vêtements en cas d'arrosage intempestif.

Le lait artificiel pour bébés
Ce lait existe sur le marché sous forme de poudre et sous forme de liquide normal ou concentré. Lorsque nous avons sevré nos filles, nous avons choisi la formule du lait en poudre à partir duquel je préparais un pot de réserve chaque matin, lait qui était conservé au réfrigérateur pour la journée.

« Chéri, c'est le moment... »

L'état de votre compagne

Physiquement

- Quelques modifications dans l'activité du fœtus – le bébé est tellement à l'étroit qu'au lieu de donner des coups de pied et des coups de poing, il ne fait que se tortiller

- Fatigue et insomnies fréquentes

- Une sensation d'énergie renouvelée lorsque la tête du bébé « tombe » dans le pelvis et que la pression se relâche quelque peu

- Crampes fréquentes, constipation, maux de dos, rétention d'eau, gonflement des pieds, des chevilles et du visage. Elle se sent réellement mal en point

Émotivement

- Est plus que jamais dépendante de vous – elle craint que vous ne l'aimiez plus après la naissance du bébé (elle n'est d'ailleurs plus la même femme que celle que vous avez épousée)

- Impatiente : sentiment d'une grossesse interminable

- Est nerveuse : lasse de répondre à la question : « Et alors, c'est pour quand ? » surtout si le bébé a un peu de retard

- Elle craint ne pas avoir assez d'amour pour faire face à l'avenir

- Elle craint aussi de ne pas être prête pour l'accouchement quand le moment sera venu

- Elle est de plus en plus préoccupée par l'enfant

L'état du bébé

Pendant ce dernier mois, le bébé fait des progrès rapides. Au moment de quitter le chaud refuge de l'utérus, il pèsera près de trois kilos ou même davantage, et mesurera quelque cinquante centimètres. L'espace lui manque pour se mouvoir à l'aise… Les ongles sont souvent si longs qu'ils doivent être coupés dès la naissance.

Et vous dans tout cela ?

Confusion

Nous sommes presque au bout… Dans quelques semaines, vous verrez enfin l'enfant à qui vous avez parlé, dont vous avez rêvé et pour qui vous avez conçu des projets d'avenir. Tenez-vous prêt, car le dernier mois de la grossesse est souvent le plus déroutant pour les futurs pères. À certains moments, vous pourriez être submergé par l'excitation de l'attente. À d'autres, vous vous sentirez effrayé et pris au piège au point que vous aimeriez pouvoir vous échapper. En bref, tous les sentiments – bons et moins bons – que vous avez ressentis tout au long de ces huit mois vous assaillent de nouveau. Mais à ce jour, à cause de l'imminence de la naissance, ils sont plus intenses que jamais.

Voici quelques états émotionnels que vous pourriez éventuellement connaître pendant les dernières étapes de la grossesse.

- D'une part, vous vous sentez prêt à remplir votre rôle de père. D'autre part, vous êtes inquiet devant la difficulté de remplir le double rôle d'époux et de père.
- Si vous avez pris un second emploi ou si vous avez accepté un supplément de responsabilité dans votre travail, votre

souhait, à la fin de la journée, est de rentrer chez vous et de pouvoir vous relaxer. Toutefois, votre compagne étant de moins en moins apte à remplir des tâches physiques, il se pourrait que vous soyez accueilli le soir par une liste de corvées urgentes à réaliser.

- Votre compagne et vous pourriez éprouver un sentiment exceptionnel d'attachement l'un vis-à-vis de l'autre. En parallèle, votre vie sexuelle a peut-être disparu totalement.

- À mesure que votre compagne se sent moins bien, elle aura de moins en moins envie de sortir avec des amis et vous êtes donc amenés à passer plus de temps en tête-à-tête. Ce qui représente peut-être la dernière chance qui vous soit offerte de jouir de calme avant l'arrivée de bébé. Mais il se pourrait aussi que ce soit là un prétexte à vous agacer l'un l'autre.

- Peut-être souhaiterez-vous passer plus de temps avec des parents ou des amis qui ont des enfants en bas âge, ou peut-être, à l'inverse, vous en écarterez-vous.

Dépendance accrue vis-à-vis de votre compagne

À ce moment précis, toute votre attention – comme celle de vos parents et amis – est nettement centrée sur votre compagne et sur le bébé. Comme vous êtes la personne la plus proche d'elle et celle qu'elle voit le plus souvent, votre compagne compte de plus en plus sur vous, non seulement pour l'épauler physiquement, mais aussi pour l'aider à traverser les hauts et les bas de ce dernier mois. Par le fait même, vous devenez de plus en plus dépendant d'elle en cette période éprouvante.

La dépendance accrue de votre compagne est considérée comme une des caractéristiques normales de la grossesse. Mais, par suite de la façon ridicule dont nous sommes éduqués socialement en fonction du sexe auquel nous appartenons, on veut, dans nos pays, que les hommes soient indépendants, forts et imperméables aux émotions, en particulier lorsque leur compagne est enceinte. C'est juste au moment où vous vous sentez le plus vulnérable et où vous vous maîtrisez le plus difficilement que vous devez faire abstraction de vos propres besoins. Pire, la personne dont vous êtes le plus dépendant pour la sympathie et la compréhension est elle-même trop absorbée par ce qui se passe en elle pour pouvoir vous accorder quelque attention.

Le résultat, c'est ce que le Dr Luis Zayas qualifie de «déséquilibre dans l'interdépendance», qui laisse au père le soin de satisfaire à la fois ses propres besoins affectifs et ceux de sa compagne. En outre, dans beaucoup de cas, ce déséquilibre devient une sorte de cercle vicieux qui «accentue le stress, intensifie le sentiment d'isolement et accroît le besoin de dépendance». En d'autres termes, moins vous recevez de réponse à votre besoin de dépendance, plus vous vous sentez dépendant.

Sentiments de culpabilité

Pendant les derniers mois de la grossesse, beaucoup d'hommes commencent à se sentir coupables de l'état dans lequel ils pensent avoir mis leur compagne. Oui, vous êtes celui par qui elle est enceinte, et, oui, elle est très mal à l'aise. Mais, aussi étrange que cela puisse vous paraître, votre compagne ne vous reproche nullement les affres par lesquels elle passe. Elle comprend et accepte, comme vous devriez le faire vous-même, que c'était aussi son idée et que, sauf dans le cas de mère porteuse ou adoptive, il n'y a pas d'autre moyen d'avoir un bébé. Cessez donc de vous torturer, vous avez à faire bien d'autres choses – bien plus productives –au cours de ces dernières semaines.

Ce que vous pouvez faire

Soyez un compagnon attentionné

Votre compagne, au cours de cette période, sera probablement dans un état pitoyable et se sentira mal à l'aise. Bien que vous ne puissiez pas faire grand-chose pour la soulager, voici quelques suggestions qui rendront cette dernière ligne droite un peu plus supportable pour elle comme pour vous.

• Répondez à sa place aux appels téléphoniques. Si vous avez un répondeur, vous pourriez en modifier le message de cette façon : « Bonjour ! Non, le bébé n'est pas encore né et, oui, Lyette va bien. Si vous appelez pour un autre motif, veuillez laisser un message et nous vous rappellerons dès que possible. » Cela peut paraître très désinvolte, mais, croyez-moi, ce sont vos réponses qui le deviendraient immanquablement si vous deviez endurer les mêmes questions vingt fois par jour.

• Évitez de trop vous éloigner d'elle. Efforcez-vous de rentrer un peu plus tôt du travail. Renoncez à assister à ce fameux match de basket-ball et reportez si possible ce long voyage d'affaires.

• Restez en contact avec elle. Un ou deux petits coups de téléphone chaque jour lui feront sentir que vous l'aimez et qu'elle est importante à vos yeux. Ils lui feront comprendre aussi que vous allez bien. Si vous devez sortir, munissez-vous d'un téléavertisseur ou d'un téléphone portable.

- Restez aussi calme que possible. Elle sera bien assez nerveuse pour deux.
- Soyez patient. Elle pourrait entreprendre des actions qui vous paraissent bizarres ; la meilleure chose à faire est de les accepter. Si la maison a déjà été nettoyée de fond en comble et la voiture simonisée deux fois, et si elle souhaite que ce soit fait à nouveau, faites-le, elle a besoin de sa tranquillité d'esprit.
- Revoyez les techniques de respiration, de relaxation et autres que vous comptez utiliser pendant la période de travail.
- Lorsqu'elle le souhaite, permettez-lui de rester seule. Et si elle veut être près de vous, soyez là pour elle.

En outre, le moment serait sans doute venu de relire le passage « Comment lui prouver votre sollicitude » traité dans le chapitre relatif au quatrième mois.

Si le bébé tardait à arriver

Rien n'est plus frustrant que d'entamer le dixième mois d'une grossesse. Vous avez déjà renoncé à répondre au téléphone, par crainte d'entendre à nouveau : « Qu'est-ce que vous faites encore à la maison ? J'étais certain (ou certaine) que vous seriez à l'hôpital en ce moment. » Et vous en avez assez de terminer tous vos entretiens au bureau par : « Si je ne suis pas au bureau demain, n'oubliez pas ... » Le petit berceau semble abandonné, et il vous tarde de vous trouver face au petit visage chiffonné de votre bébé.

Dans la plupart des cas, pourtant, les couples croient qu'il y a retard alors qu'en réalité il n'y en a pas. Lorsqu'un médecin prédit la date de l'accouchement, il néglige souvent d'ajouter que le jour cité n'est qu'une estimation basée sur un cycle menstruel de vingt-huit jours. Si le cycle menstruel de votre compagne est long, court ou irrégulier, la date effective de l'accouchement peut être décalée, par rapport à la date « officielle », d'un laps de temps qui peut aller jusqu'à trois semaines. Même si son cycle est aussi régulier qu'une horloge, il serait malgré tout presque impossible de connaître la date exacte de la conception. En réalité, soixante-dix des dépassements de terme d'une grossesse sont dus à une erreur d'estimation du temps de la conception, pensent les auteurs de l'ouvrage intitulé *What to Expect When You're Expecting.*

Tandis qu'un dépassement de huit jours de la date prévue ne pose généralement pas de problème, un véritable retard pourrait avoir de graves conséquences.

- Le bébé pourrait devenir si gros qu'il lui serait difficile de passer par la voie normale, augmentant ainsi les risques d'un accouchement à problèmes ou d'une césarienne.
- Après un certain temps, le placenta devient trop vieux et ne peut plus nourrir adéquatement le bébé. Cela peut se traduire par un amaigrissement du bébé à l'intérieur de l'utérus, accroissant le risque de détresse fœtale.
- Il pourrait ne plus y avoir assez de liquide amniotique pour supporter le bébé.
- Le cordon ombilical pourrait se trouver coincé par manque de place et ne plus pouvoir remplir correctement sa fonction.

Si le médecin pense qu'il y a retard, il prescrira plus que probablement des tests pour vérifier la bonne forme du bébé. Les tests les plus courants sont le test aux ultrasons, ou échographie, qui détermine le niveau du fluide amniotique et donne une idée générale de l'état du bébé, et le test qui surveille au repos toute modification dans le rythme cardiaque du bébé et les mouvements en réaction à certains stimuli.

Si le bébé « satisfait » aux tests, le médecin vous renverra probablement chez vous, en recommandant de repasser les mêmes tests une semaine plus tard si le bébé n'est pas arrivé entre-temps. Ou bien il vous suggérera une date à laquelle l'accouchement pourrait être provoqué.

Au cas où tout cela vous inciterait au découragement, rappelez-vous les paroles de l'obstétricien J. Milton Huston du New York Hospital : « Je n'ai jamais vu de bébé qui soit resté là. »

Le travail

À l'heure qu'il est, votre compagne a certainement déjà connu les contractions de Braxton-Hicks, souvent nommées « faux travail ». Ces contractions préparent l'utérus au travail proprement dit. Parfois, ces manifestations sont si puissantes qu'elles laissent croire que le vrai travail a commencé.

Il se fait que, lorsque le vrai travail commence, votre compagne en aura probablement conscience. (Cela peut paraître étrange, surtout si elle porte son premier enfant, mais la majorité des mères que j'ai rencontrées m'ont affirmé qu'il en était bien ainsi.) Jusque-là cependant, ni vous ni elle ne pouvez être absolument certains que les contractions et autres manifestations associées sont ou non le signal du grand branle-bas. Avant donc de vous précipiter vers l'hôpital, accordez-vous quelques secondes afin d'examiner la situation.

LE FAUX TRAVAIL

- Les contractions ne sont pas ou ne demeurent pas régulières

- Les contractions n'augmentent pas d'intensité

- Si votre compagne change de position (passe de la position assise à la position debout, ou de la position debout à la position couchée), les contractions cessent habituellement ou changent de fréquence ou d'intensité

- En général, il n'y a pas de pertes vaginales

- Ces symptômes peuvent être accompagnés de douleurs abdominales

LE TRAVAIL VÉRITABLE

- Les contractions sont régulièrement espacées

- Avec le temps, les contractions s'intensifient, durent plus longtemps et se rapprochent progressivement

- Il peut y avoir des pertes vaginales teintées de sang

- La poche des eaux peut se rompre (de fait, l'« eau » est le liquide amniotique dans lequel le bébé a baigné pendant la grossesse)

- Les douleurs dans le bas du dos s'amplifient

Si c'est un garçon

Si vous n'avez pas encore pris de décision quant à la circoncision, ce serait le moment d'y penser. Si votre opinion est déjà faite, sautez ce paragraphe. Si vous êtes encore indécis, vous trouverez résumés ci-dessous les avantages et les inconvénients de cette opération.

POUR QUELLES RAISONS ENVISAGER LA CIRCONCISION ?

- **Raisons religieuses**
  La circoncision est une pratique rituelle traditionnelle chez les juifs et les musulmans.

- **Raisons médicales**
  Une étude réalisée en 1989 pour l'*American Academy of Pediatrics* (AAP) a montré que la circoncision pouvait réduire les risques d'infection du tractus urinaire et de cancer du pénis chez les garçons et pouvait aussi diminuer, chez sa future partenaire, les risques de cancer du col de l'utérus. De plus, la circoncision supprime toute apparition de phimosis, malformation qui affecte dix pour cent des hommes et est caractérisée par l'impossibilité, pour le prépuce, de se rétracter. On y remédie généralement par la circoncision, opération beaucoup plus pénible à un âge plus avancé.

- **Par hygiène**
  Un pénis circoncis est plus facile à maintenir propre, tant pour les parents que pour le garçon lui-même.

- **Par tradition**
  Si vous avez été circoncis, votre fils souhaitera sans doute l'être aussi. La circoncision étant courante en Amérique du Nord, il se sentira plus semblable aux autres garçons de son milieu.

POUR QUELLES RAISONS REJETER LA CIRCONCISION ?

- **Éviter la douleur**
  La circoncision est de toute façon douloureuse. La cicatrice guérit complètement en trois jours environ.

- **Autres risques**

  Quoique extrêmement rares, des complications peuvent survenir. L'*American Academy of Pediatrics* (AAP) a souligné qu'environ un cas sur cinq cents entraînait l'hémorragie ou l'infection locale, et que la mort demeure une éventualité totalement négligeable. En 1979, par exemple, il n'y eut qu'un cas mortel par suite de circoncision dans tous les États-Unis.

- **La circoncision est-elle nécessaire ?**

  On prétend que beaucoup de risques prétendument évités par la circoncision peuvent aussi être réduits par une meilleure hygiène, et cette hygiène peut être inculquée.

- **Par tradition**

  Tout comme ci-dessus, si vous n'avez pas été circoncis, votre fils ne désirera pas l'être non plus.

LES SOINS À DONNER AU PÉNIS CIRCONCIS

Le pénis de votre fils, après circoncision, sera rouge et douloureux pendant les quelques jours qui suivent l'opération. Jusqu'à guérison complète, il faudra protéger le gland et éviter qu'il n'adhère aux langes (quelques petites taches de sang sur les langes pendant quelques jours est parfaitement normal). Il faudra tenir le pénis au sec et lubrifier le gland à la gelée de pétrole puis l'envelopper de gaze. La personne qui a effectué la circoncision ou le personnel infirmier de l'hôpital seront à même de vous indiquer le temps pendant lequel il convient de protéger le pénis et de changer les bandages.

LES SOINS À DONNER AU PÉNIS NON CIRCONCIS

Même si vous ne faites pas circoncire votre fils, vous devrez quand même consacrer quelque temps aux soins du pénis.

La façon classique de soigner un pénis non circoncis est de rétracter le prépuce et de laver doucement le gland au savon doux et à l'eau. Pourtant, quatre-vingt-cinq pour cent des garçons en dessous de six mois ont un prépuce qui ne peut se rétracter, si l'on en croit l'AAP. Si c'est le cas pour votre fils, ne forcez pas. Parlez-en au pédiatre et suivez scrupuleusement ses instructions. Avec le temps, la difficulté se résout d'elle-même et, vers l'âge de six mois, cinquante pour cent des cas sont réglés, quatre-vingt-cinq à quatre-vingt-dix pour cent le sont vers l'âge de trois ans.

Faire face aux imprévus

Le travail prématuré et la naissance avant terme

Dans la majorité des cas, le travail ne commence pas avant la fin de la quarantième semaine. Cependant, un petit nombre de bébés (de sept à dix pour cent) naissent prématurément, c'est-à-dire avant la trente-septième semaine. Les symptômes d'un travail prématuré sont identiques à ceux du travail normal, à la différence qu'ils se produisent simplement trop tôt.

Si votre compagne présente l'un des symptômes suivants, elle risque de faire un accouchement prématuré. Avertissez donc votre médecin si :

• elle est atteinte d'une «faiblesse» du col de la matrice. Le col étant trop faible peut céder, causant la naissance prématurée du bébé. Si cette anomalie est décelée à temps, on peut y remédier et éviter ainsi une naissance prématurée en suturant l'ouverture du col.

• elle a subi une intervention chirurgicale quelconque pendant sa grossesse.

• elle est enceinte de jumeaux (ou de triplés).

• elle fume (ou a récemment cessé de fumer).

184

- elle a été exposée au diéthylstilbestrol (DES) alors que sa propre mère était enceinte d'elle (beaucoup de filles de femmes qui ont pris du DES pour éviter une fausse couche sont nées avec une anomalie du tractus génital).
- elle a eu précédemment un travail prématuré.
- le fœtus est anormalement petit.

Dans la plupart des cas, les prématurés grandissent aussi bien que les bébés nés à terme, mais chaque jour passé dans l'utérus augmente sensiblement les chances de survie de l'enfant. Si donc votre compagne manifeste des signes réels de travail précoce (voir les pages 180-181 et 191 à 202) appelez immédiatement le médecin. Pris à temps, un travail prématuré peut être interrompu, souvent à l'aide de médicaments administrés par voie intraveineuse, et le fœtus peut ainsi demeurer dans l'utérus pendant quelques semaines encore.

Après un travail prématuré interrompu, votre médecin ordonnera sans doute à votre compagne de garder le lit pendant le reste de sa grossesse. Il n'est même pas impossible qu'il juge utile une surveillance à domicile du fœtus par moniteur. Si le cas se présente, tenez-vous prêt à prendre en main toute la responsabilité du ménage ainsi que celle des autres enfants, le cas échéant. S'il ne vous était pas possible d'assumer une telle tâche, vous devriez engager quelqu'un ou demander à des amis ou à des membres de la famille de vous prêter main-forte.

AVIONS, TRAINS ET AUTOMOBILES

Il semble que la moitié des naissances que l'on voit au cinéma ont lieu dans un taxi, au creux d'une grotte bloquée par la neige ou dans les toilettes d'un avion. Ces images font vendre les billets pour les salles obscures, mais sachez que, dans nos pays, environ quatre-vingt-dix-neuf pour cent des bébés naissent dans un hôpital, si l'on en croit les statistiques de l'*American College of Obstetricians and Gynecologists* (ACOG). Et nombreuses, parmi celles qui ont lieu hors de l'hôpital, sont programmées ainsi volontairement. Néanmoins, à un moment ou un autre, à peu près tous les jeunes couples s'inquiètent à l'idée de devoir accoucher dans un endroit imprévu.

NAISSANCES EN URGENCE

L'urgence est considérée ici sous deux angles différents : ou vous avez tout le temps pour vous préparer (vous êtes bloqués dans la neige, enfermés dans votre cave par un tremblement de terre, ou naufragé, de toute manière, il vous est impossible de rejoindre un hôpital en temps voulu), ou vous n'avez que peu ou pas de temps du tout pour vous préparer (vous êtes immobilisés dans les embouteillages, ou la période de travail de votre compagne est extrêmement courte). Dans les deux cas, il vous est très difficile de prendre les dispositions nécessaires.

Si vous en avez le temps, vérifiez si votre compagne se trouve dans la zone la mieux protégée et si elle est aussi confortablement installée que possible. Si vous en avez la possibilité, faites bouillir un bout de corde ou un lacet et une paire de ciseaux ou un canif. Ensuite, tout ce que vous pouvez faire est de vous tenir coi et laisser faire la nature.

Si vous manquez de temps, veillez surtout à garder votre sang-froid. Gérer une naissance n'est pas aussi difficile que vous pourriez l'imaginer. Les médecins qui en font leur profession arrivent habituellement quelques minutes avant l'événement et sont présents surtout pour le cas où une complication surviendrait. Heureusement, les bébés arrivés

La trousse d'urgence

Il est extrêmement peu probable que votre compagne accouche ailleurs qu'à l'hôpital. Cependant, si vous souhaitez parer à toute éventualité, voici une liste des objets à garder sous la main, chez vous, dans la voiture ou ailleurs, là où votre compagne et vous êtes susceptibles de vous trouver le plus souvent au cours du dernier mois de grossesse :

- Tampons de gaze stérile pour absorber le sang, le liquide amniotique, etc. On peut s'en procurer dans les pharmacies ou les magasins de fournitures médicales. Si vous ne pouvez trouver de tampons adéquats, de vieux journaux feront aussi l'affaire et un peu d'encre d'imprimerie ne gênera personne.

- Une corde propre ou des lacets de chaussure pour ligaturer le cordon ombilical, si nécessaire (voir page 189).

- Des ciseaux propres ou un canif pour couper le cordon, si nécessaire (voir page 189).

- Quelques serviettes pour réchauffer le bébé et la mère après la naissance.

à terme, qui semblent pressés de sortir, le font habituellement sans difficulté.

Que vous ayez ou non du temps pour vous préparer, dès que le bébé s'annonce, le processus pour mener à bien un accouchement reste le même. Et vous savez que ce processus est entamé lorsque :

- votre compagne ne peut plus se retenir de pousser,
- la tête du bébé, ou toute autre partie de son corps, est visible.

Dans la suite du chapitre, nous allons décrire ce que vous devriez faire s'il n'y avait pas d'autre solution que de procéder vous-même à l'accouchement. Ces informations n'ont pas pour but de remplacer les années d'expérience accumulées par le médecin ou la sage-femme. N'essayez donc pas cela chez vous, sauf en cas de nécessité absolue.

Première étape: la préparation
Appelez à l'aide si un téléphone est accessible. Essayez de fixer l'attention de votre compagne sur les techniques de respiration et de relaxation. Disposez un oreiller ou quelques vêtements sous ses fesses pour éviter que la tête du bébé et ses épaules ne heurtent une surface dure.

Deuxième étape: la tête
Lorsque la tête commence à apparaître, ne tirez surtout pas. Soutenez-la plutôt et laissez-la venir d'elle-même. Si le cordon ombilical entourait le cou du bébé, glissez-le avec précaution par-dessus la tête. Lorsque la tête est sortie, dégagez le nez et la bouche du bébé du reste de mucus qui pourrait encore les encombrer, bien que la traversée du canal vaginal a dû être suffisante pour réaliser naturellement cette opération.

Troisième étape: le reste du corps
Alors que vous soutenez la tête de bébé et que ses épaules commencent à apparaître, encouragez votre compagne à pousser. La tête étant sortie, le reste du corps glissera facilement.

Placez immédiatement bébé contre la poitrine de votre compagne et encouragez-la à le mettre de suite au sein. Le fait de le nourrir a pour effet de faire se contracter l'utérus, ce qui favorise l'expulsion du placenta et réduit les risques d'hémorragie. Ne vous tracassez pas, le cordon ombilical est normalement assez long pour permettre au bébé de téter tandis qu'il est encore relié au corps de sa mère.

Quatrième étape : le placenta

Ne croyez surtout pas que la tâche de l'accoucheur occasionnel que vous êtes est terminée dès que le bébé est né. Le placenta doit sortir, lui aussi. Ne tirez pas sur le cordon ombilical dans l'espoir de favoriser la délivrance. Au bout d'un moment, ce volumineux accessoire dont la consistance rappelle celle d'un gros morceau de foie, apparaîtra de lui-même. À sa sortie, enveloppez-le proprement et

Comment couper le cordon

Si vous savez pouvoir rejoindre un hôpital dans les deux heures environ, ne coupez pas le cordon vous-même. Sinon, appliquez les instructions suivantes :

- En utilisant un bout de ficelle stérilisé, ou si vous n'avez pas de ficelle, un bout de lacet propre, ligaturez le cordon à au moins quinze centimètres du nombril du bébé.

- Faites une seconde ligature cinq centimètres plus loin.

- Coupez le cordon entre les deux ligatures au moyen d'un instrument tranchant stérilisé (paire de ciseaux ou couteau bien aiguisé).

Pendant un accouchement d'urgence, n'oubliez pas ceci :

- Essayez de vous détendre. Agissez méthodiquement, avec soin et ne vous pressez pas.
- Appelez à l'aide dès que possible.
- Veillez à garder aussi propre que possible l'endroit de l'accouchement.
- Réanimation cardio-respiratoire du bébé : si vous n'avez pas encore suivi de cours à ce sujet, reconsidérez la question, afin de pouvoir parer à toute éventualité.

gardez-le car le médecin souhaitera y jeter un coup d'œil dès que possible.

Lorsque le placenta est sorti, massez doucement, de minute en minute, le bas-ventre de votre compagne. Votre geste marquera le début de l'important processus du retour de l'utérus à sa forme originelle.

Le travail et l'accouchement

L'état de votre compagne

La période du travail est normalement divisée en trois étapes et la première de ces étapes se scinde elle-même en trois phases.

Première étape

PREMIÈRE PHASE : TRAVAIL PRÉLIMINAIRE

Le travail préliminaire peut durer de quelques heures à plusieurs semaines. Votre compagne peut ne pas toujours sentir les contractions. Mais si elle les sent, celles-ci sont généralement irrégulières (de trente à quarante minutes pourraient séparer le début de l'une du début de la suivante) et peuvent durer de quarante à soixante secondes. Cependant, avant la naissance de notre cadette, ma femme a eu à peu près journellement, pendant une semaine, de six à douze heures de contractions très longues et très régulières, se succédant à intervalles de trois à cinq minutes. Votre compagne pourrait aussi, à ce stade, avoir des pertes blanches (leucorrhée) teintées de sang, avoir mal au dos et souffrir de diarrhée.

DEUXIÈME PHASE : TRAVAIL ACTIF

Cette phase est généralement plus courte, mais elle est de loin plus puissante que la première. D'abord, les contractions sont séparées d'environ cinq minutes et durent de quarante-cinq à soixante secondes. Si la période de travail est en cours depuis quelque temps déjà, votre compagne a peut-être faim. Elle est encore probablement capable de parler pendant les contractions. Plus tard, les contractions se rapprocheront (à deux ou trois minutes d'intervalle) et seront plus longues (plus de soixante secondes). À ce moment, elle aura perdu l'appétit et ne sera plus capable de parler au cours des contractions (elle ne le souhaitera d'ailleurs probablement pas). Si vous n'y êtes pas encore, hâtez-vous d'arriver à l'hôpital.

TROISIÈME PHASE : LA TRANSITION

Cette phase ne dure que quelques heures. Il est inutile de se demander pourquoi on l'appelle « travail ». Les contractions de votre compagne se suivront sans doute sans relâche, souvent deux ou trois à la suite, sans interruption. Elle est à bout de forces, en sueur, ses muscles peuvent être si épuisés qu'elle en tremble et il est possible qu'elle vomisse.

DEUXIÈME ÉTAPE :

« Poussez, Madame ! » – La naissance

Cette deuxième étape peut durer de deux à quatre heures. C'est la partie la plus courte mais souvent la plus intense du processus. Les contractions de votre compagne sont encore longues (plus de soixante secondes), mais sont plus espacées. À la différence que, pendant les contractions, elle est dominée par un besoin irrépressible de pousser, et qui rappelle le besoin de déféquer.

Troisième étape : après la naissance
Le bébé est né et le placenta doit encore être évacué.

Et vous dans tout cela ?

S'engager dans la phase du travail n'est une sinécure ni pour elle ni pour vous. Elle éprouve ou est sur le point d'éprouver des souffrances physiques intenses. Parallèlement, vous endurerez très certainement votre part de souffrances psychologiques.

Je ne puis dire combien de fois j'ai, en rêve heureusement, eu à défendre bravement ma famille contre des malfaiteurs et des assassins. Même éveillé, je sais que je n'hésiterais pas à plonger devant une voiture folle pour sauver de la mort ma femme ou mes enfants. Je sais aussi que, pour leur éviter la souffrance, j'endurerais les pires supplices. Ces pensées et ma détermination à cet égard me donnent force et confiance. Mais soutenir sa compagne pendant l'accouchement est tout autre chose que de sauver un enfant d'un incendie.

L'important dans cette étape finale de la grossesse est de se rappeler que les souffrances qui y sont associées, les vôtres comme les siennes, auront une fin. Elles s'évanouiront dès que vous tiendrez bébé dans vos bras. Et, curieusement, leur souvenir disparaîtra chez elle plus tôt que chez vous. Elle aura encore des douleurs pendant quelques semaines, mais votre bébé aura à peine six mois que votre compagne les aura oubliées. Si les femmes pouvaient s'en souvenir, je suis persuadé que chacune d'elles n'aurait jamais qu'un seul enfant. Dans ma mémoire, par contre, les douleurs vécues par ma femme sont restées vivaces six mois, un an, deux ans même après son premier accouchement.

Lorsque nous nous sommes pris à songer à une seconde grossesse, la pensée qu'elle aurait à revivre ce calvaire m'a donné froid au cœur.

Ce que vous pouvez faire

Être présent, mentalement et physiquement

Quelles que soient vos craintes et vos angoisses, la période actuelle est l'une de celles où les besoins de votre compagne doivent passer en tout premier lieu. Et ces besoins ne se limitent pas au seul aspect physique. Avant de nous préoccuper de la façon dont vous pourriez l'aider efficacement au cours de la période difficile du travail et de l'accouchement, nous allons essayer de reconnaître quand elle entre effectivement dans la période de travail et de savoir où elle en est dans ce processus.

PREMIÈRE ÉTAPE
– PREMIÈRE PHASE : TRAVAIL PRÉLIMINAIRE

Bien que ses contractions soient encore supportables pendant cette première période, faites tout votre possible pour apporter à votre compagne le maximum de confort, par exemple en lui massant le dos ou en lui prodiguant d'autres attentions. Certaines femmes diront clairement ce qui peut les soulager, d'autres, plus timides, hésiteront à formuler une demande précise, surtout si celle-ci paraît triviale. Quoi qu'il en soit, demandez-lui fréquemment ce que vous pouvez faire pour elle. Si une petite marche lui fait du bien, promenez-vous avec elle. Si faire le poirier au milieu de la pièce la tente, ce qui serait assez improbable en ce moment, aidez-la. Fiez-vous aussi à son instinct concernant ce qui se passe en elle. À certains moments, au cours de chacune des journées de cette semaine de travail préliminaire, j'ai cru que, cette fois, c'était le moment et que je devais prévenir le médecin. Sagement, mais fermement, elle m'en a chaque fois dissuadé.

Veillez à ce que, l'un comme l'autre, vous ayez quelque chose à manger avant le départ pour l'hôpital. Préparez un en-cas. Une fois sur place, le personnel ne permettra plus à votre compagne d'absorber de nourriture avant la naissance du bébé et vous-même ne souhaiterez certainement pas faire d'incursion au casse-croûte de l'établissement entre deux contractions. Enfin, essayez de prendre quelque repos. Ne vous laissez pas emporter par l'afflux d'adrénaline lorsque votre compagne entrera dans la période de travail. Vous en serez si excité que vous croirez pouvoir tenir éternellement, mais rien n'est plus faux. Certaines hormones particulières, ainsi que la douleur, l'aiguillonneront, elle, pas vous.

PREMIÈRE ÉTAPE
– DEUXIÈME PHASE : TRAVAIL ACTIF

L'un des symptômes de la deuxième phase du travail est le manque d'intérêt apparent de votre compagne pour tout ce qui peut se passer autour d'elle, y compris pour discuter avec vous du moment où il conviendrait d'appeler le médecin. Après quelques heures de contractions qui se succédaient à deux ou trois minutes d'intervalle, et si fortes qu'elle ne pouvait parler, ma femme refusa à nouveau ma proposition d'appeler le médecin. Beaucoup de femmes, semble-t-il, « savent » quand l'heure est là. Si donc elle vous dit « C'est le moment ! », ne perdez pas de temps à chercher les clés de la voiture. Toutefois, si vous n'êtes pas encore certain que la deuxième phase a commencé, voici un modèle de conversation qui pourrait vous aider à comprendre :

Vous: Chérie, tes contractions durent depuis trois heures. Ne crois-tu pas que nous devrions partir pour l'hôpital ?

Elle: D'accord.

Vous: Bien ! Habillons-nous donc.

Elle: Je n'ai pas envie de m'habiller.

Vous: Mais tu n'as qu'une chemise de nuit sur toi. Ne prendrais-tu pas au moins des chaussettes et des chaussures ?

Elle: Non, je ne veux ni chaussettes ni chaussures.

Vous: Mais il fait froid dehors ! Que penserais-tu d'une veste ?

Elle: Je ne veux pas de veste.

Avez-vous compris ?

Un deuxième symptôme qui pourrait vous signaler que la deuxième phase de travail a commencé (au moins dans la plupart des cas) est une diminution du sens de la décence chez la future accouchée. La monitrice d'accouchement Kim Kachler prétend qu'elle peut à coup sûr juger de la phase du travail dans laquelle se trouve une patiente – si elle est nue au lit – par l'état du lit lui-même. Couverte jusqu'au cou, la future mère est dans la première phase ; découverte à demi, elle se trouve dans la deuxième phase ; pendant la troisième phase (voir ci-dessous), les draps sont entièrement rejetés.

Première étape
– Troisième phase : la transition

Lorsque la télévision montre une femme en train d'accoucher, celle-ci hurle généralement d'un ton mordant à son mari ou à son compagnon : « Ne me touche pas ! » ou « Laisse-moi seule, c'est toi qui m'a mise dans cet état ! » J'avais sans doute si bien assimilé ce stéréotype qu'en arrivant à l'hôpital, je craignais réellement que ma femme ne se comporte de la même façon, me reprochant ses douleurs et rejetant ma présence à ses côtés. Heureusement, les choses ne se sont pas passées ainsi. En réalité, nous n'avons jamais été plus proches l'un de l'autre qu'au moment du travail préparatoire à la naissance de notre seconde fille. Le seul endroit où ma femme se trouvait bien était sous la douche et, pendant un moment, je suis resté auprès d'elle, lui parlant entre les contractions tandis que je massais son dos douloureux. Elle m'a alors demandé de la laisser seule un moment. Pendant quelques minutes, j'en ai été blessé, car je sentais que je devais être là avec elle, mais il était clair qu'elle n'avait nulle intention de me faire de la peine.

Toutes les femmes ne sont pas nécessairement aussi charmantes pendant la période du travail. S'il arrive que votre compagne vous dise des choses désagréables ou vous rejette sans cérémonie de la chambre pour quelque temps, rappelez-vous seulement qu'au cours du travail, elle a l'esprit dominé comme par une foule où chacun cherche à se frayer un chemin vers un métro bondé. Bien souvent, sa souffrance est si intense et si accablante au moment des contractions que la seule façon pour elle d'y faire face est de se concentrer entièrement dessus. Parfois des choses aussi simples et aussi bien intentionnées qu'un mot d'amour ou une caresse peuvent freiner cette concentration.

Que pouvez-vous donc faire ? Ce qu'elle demande. Et vite. Si elle ne désire pas que vous la touchiez, n'insistez pas. Offrez-lui plutôt quelques glaçons. Si elle veut que vous sortiez de la chambre, sortez. Dites-lui cependant que vous restez à portée de voix pour le cas où elle aurait besoin de vous. S'il fait noir dans la chambre et qu'elle vous dit qu'il fait trop clair, ne la contrariez pas et trouvez encore quelque chose à éteindre. Si elle souhaite écouter telle émission de rap, faites-la lui entendre. Quoi que vous fassiez, ne discutez pas avec elle, ne raisonnez pas et, par-dessus tout, ne vous emportez pas si elle vous injurie ou vous traite de tous les noms. Elle n'en a pas du tout l'intention, et la dernière chose qu'il faudrait lui opposer en ces moments de crise serait votre dignité offensée.

Deuxième étape : « poussez, madame ! »

Jusqu'au moment où il a fallu pousser, je croyais que j'étais bien préparé à aider ma femme dans toutes les étapes du travail et de l'accouchement. J'étais calme et, malgré un sentiment d'incompétence, je savais à quoi m'attendre à presque tous les stades de l'accouchement. L'équipe de l'hôpital avait acquiescé à mon souhait d'accompagner ma femme pendant ses contractions. Mais lorsque le moment est venu pour elle de pousser, ils ont changé d'attitude. En un instant, ils avaient pris en main la direction des opé-rations. Le médecin fut prévenu, des infirmières supplé-mentaires arrivèrent comme par enchantement et la salle commença à se remplir d'équipements, une balance, un lit de bébé, une table chargée d'instruments médicaux, une baignoire de bébé, des langes et des linges divers. Par chance, nous étions dans une salle mixte servant à la fois de salle de travail et de salle d'accouchement. Si, au milieu de la période de poussée, vous perdez votre femme parce qu'elle vient d'être transférée, via le hall, dans la salle d'ac-couchement, ne vous inquiétez pas. Tout ce va-et-vient a l'apparence d'une urgence mais, en réalité, il n'en est rien.

Les infirmières ont alors expliqué à ma femme ce qu'il fallait faire, comment et quand il fallait le faire. Pendant ce temps, j'attendais et je dois avouer qu'au premier abord je me sentis dupé. Après tout, c'était moi qui m'étais tenu auprès de ma femme pendant presque toutes ses contractions. Mon bébé était sur le point de naître et au moment le plus important, j'en étais réduit au rôle de simple spectateur. Sauf si vous faites partie du personnel infirmier, il est probable que vous en seriez aussi réduit à ce même rôle.

À la vérité, bien que je me sois senti rejeté malgré mon ardent désir de me rendre utile, il était probablement de beaucoup préférable pour ma femme que je ne participe pas. En voyant les infirmières à l'œuvre, je me suis dit que me borner à tenir les jambes de ma compagne en disant : « Pousse, ma chérie. Voilà, c'est très bien ! » était loin d'être suffisant. Savoir juger la qualité d'une bonne poussée et, plus important encore, être capable d'expliquer comment pousser : « Soulevez les fesses… abaissez les jambes… gardez la tête en arrière… » sont des savoir-faire que l'on n'acquiert qu'après des années d'expérience.

DEUXIÈME ÉTAPE : LA NAISSANCE

Sur le plan de l'abstraction, je savais que ma femme était enceinte. J'avais participé à tous ses rendez-vous, j'avais écouté les battements du cœur, vu les enregistrements des échographies et même senti les coups de pied du bébé. Pourtant, il y avait encore quelque chose d'intangible dans tout cela. Ce n'est que lorsque notre fille commença à apparaître, poussant sa mignonne petite tête hors du vagin de ma femme, que les pièces du puzzle s'assemblèrent enfin pour moi.

Du travail à la délivrance

ÉTAPES	LES FAITS
Première étape Première phase *Travail préliminaire*	• Le col de l'utérus s'efface et se dilate jusqu'à trois centimètres. • La poche des eaux peut se rompre.
Première étape Deuxième phase *Travail actif*	• Elle se sent de plus en plus mal à l'aise. • Le col de l'utérus continue à s'élargir jusqu'à environ sept centimètres. • La poche des eaux peut se rompre, si ce n'est déjà fait, ou devra être rompue.
Première étape Troisième phase *Transition*	• Le col de l'utérus est totalement dilaté. • Elle peut déjà ressentir le besoin de pousser.
Deuxième étape *Poussez, Madame...*	• Augmentation des pertes de sang. • Le bébé progresse dans la filière d'expulsion. • Le médecin pourrait envisager une épisiotomie.
Troisième étape *Après la naissance*	• Le placenta se détache des parois de l'utérus. • Le cas échéant, suture de l'épisiotomie ou de la déchirure.

L'ÉTAT DE VOTRE COMPAGNE	CE QUE VOUS POUVEZ FAIRE
• Elle est probablement excitée, mais pas certaine que le moment est venu. • Elle est sans doute anxieuse et énervée.	• La rassurer et la réconforter. • Trouvez-lui des passe-temps, promenez-vous avec elle, louez un film, distrayez-la.
• La douleur devient plus vive et moins supportable. • Elle commence à se concentrer entièrement sur les contractions.	• Appelez le médecin et conduisez-la à l'hôpital. • Rassurez-la et encouragez-la. • Aidez-la à traiter les contractions les unes après les autres. • Donnez-lui de la glace à sucer. • Félicitez-la pour ses progrès. • Massages, massages et encore massages...
• Elle peut paraître troublée, frustrée et inquiète. • Elle pourrait déclarer qu'elle en a assez et qu'elle veut rentrer chez elle.	• Satisfaites ses caprices. • Aidez-la à attendre que le médecin l'autorise à pousser. • Épongez son visage avec un linge humide. • Donnez-lui de la glace à sucer. • Massez-la (si elle le souhaite).
• Elle sait qu'elle pourra tenir jusqu'au bout. • Elle retrouve un second souffle.	• Continuez à la rassurer et à la réconforter. • Au moment voulu, encouragez-la à pousser et félicitez-la pour ses efforts. • S'il y a un miroir, suggérez-lui de regarder naître le bébé. • Veillez à ne pas gêner les interventions du personnel.
• Ouf! je respire... • Euphorie. • Volubilité. • Se sent forte, héroïque. • Elle a faim, elle a soif. • Se sent «vide». • Envie de caresser le bébé et de cajoler le père.	• Félicitez-la. • Placez le bébé sur sa poitrine. • Aidez-la à se relaxer. • Suggérez-lui d'essayer de nourrir le bébé, si elle en ressent l'envie. • Soyez à l'unisson avec elle et le bébé.

À ce moment-là, je me rendis compte de la chance que j'avais eue d'avoir été tenu à l'écart pendant la phase de poussée. J'avais ainsi les deux mains libres pour «attraper» le bébé à la sortie, comme on m'y avait autorisé. Croyez-moi, tenir le petit corps de ma fille, tout chaud, tout gluant et encore taché de sang, et le placer doucement contre le sein de ma femme a été pour moi le summum de la félicité.

Si vous pensez que vous aimeriez aussi faire ce geste, minutez-en soigneusement à l'avance les différents mouvements avec le médecin et les infirmières. Pour plus d'information à cet effet, relisez le passage «Projets pour la naissance» aux pages 154 à 157.

À ce moment, votre compagne, elle, se trouve malheureusement dans la position la plus inconfortable pour voir naître le bébé. La plupart des hôpitaux ont heureusement pensé à combler cette lacune en plaçant des miroirs à disposition. Mais de nombreuses femmes se concentrent tellement sur l'effort à fournir qu'elles ne songent pas à en profiter.

Si vous espérez que votre nouveau-né ressemble au bébé Gerber, attendez-vous à une grosse désillusion. Les bébés naissent souvent recouverts d'une substance blanchâtre nommée *vernix caseosa* qui est un enduit sébacé. Ils sont parfois bleus et fréquemment couverts de sang et de mucus. Leurs yeux peuvent être bouffis, leurs parties génitales gonflées, et leur dos et leurs épaules couverts d'un fin duvet. De plus, le passage par l'étroit canal a probablement imprimé une forme conique à la tête. Mais, tout bien considéré, c'est la chose la plus belle qui soit au monde.

Après la naissance

LE BÉBÉ

Les premières minutes après la naissance sont un temps de profonde détente physique et émotionnelle pour vous comme pour votre compagne. Enfin, vous vous trouvez en présence du petit être sans nul autre pareil que vous avez créé ensemble. Votre compagne tentera peut-être de nourrir le bébé, bien que les nouveau-nés n'aient souvent pas faim pendant les quelque douze premières heures, et vous aimerez caresser sa peau toute neuve et admirer ses mignons petits ongles. Mais, en fonction des règles de l'hôpital et

Les visites au bébé

Beaucoup d'hôpitaux ont des règles très strictes concernant les contacts parents-enfant – les tétées peuvent être sévèrement réglementées et les heures pendant lesquelles vous êtes autorisé à voir votre enfant peuvent être limitées. L'équipe hospitalière peut aussi nourrir le bébé au biberon, soit à l'eau sucrée, soit au lait maternisé. Si ce n'est pas ce que vous souhaitez, faites-le savoir.

Certains hôpitaux ont cependant l'esprit plus large. Celui où nos deux enfants sont nés n'a plus de pouponnière, sauf pour l'hospitalisation de bébés souffrant d'affections graves. Les bébés en bonne santé restent dans la chambre de la maman pendant tout le séjour. Certains hôpitaux permettent même au père de passer la nuit avec leur compagne et le bébé. Informez-vous des normes pratiquées par votre hôpital à ce sujet.

des dispositions que vous auriez préalablement arrêtées selon vos désirs, il se peut que votre bébé doive passer ses premières minutes à être examiné et tâté sur toutes ses coutures par les médecins et les infirmières plutôt que d'être cajolé par vous deux.

De toute manière, à un moment ou à un autre, votre poupon sera pesé, mesuré, doté d'un bracelet d'identité, baigné, langé, identifié par empreintes digitales et enveloppé d'une couverture. Dans certains hôpitaux, on photographie aussi le nouveau-né. Après quoi, dans la plupart, on lui applique sur les yeux, à titre de protection contre le risque de gonorrhée, un gel au nitrate d'argent. De tout cela, retenons qu'il faut patienter, patienter et encore patienter.

En cas de césarienne ou d'autres complications, cependant, votre bébé serait emmené pour dégager d'urgence ses petits poumons avant la poursuite des opérations normales (on trouvera plus de détails à la page 220).

LE PLACENTA – LA DÉLIVRANCE

Avant la naissance de notre premier bébé, il ne nous serait jamais venu à l'esprit que tout n'était pas terminé après les phases du travail et de l'accouchement. Tandis que votre compagne et vous-même admirez le nouveau membre de la famille, le placenta, qui a été le soutien vital de votre bébé pendant les cinq derniers mois, se prépare à être évacué. Jusque-là, votre compagne peut continuer à avoir de faibles contractions qui se succèdent à intervalles de cinq minutes à une heure. Le fait étrange au sujet de cette phase de l'accouchement, c'est que ni vous ni votre compagne ne vous en apercevrez vraiment, trop préoccupés que vous êtes par le nouveau bébé.

Le placenta une fois expulsé, vous devrez décider de son sort. Dans nos pays, la plupart des nouveaux parents ne le voient même pas et l'abandonnent à l'hôpital, où il sera soit détruit, soit vendu à un fabricant de produits de beauté (*sic*). Mais dans d'autres cultures, le placenta est considéré comme ayant un lien permanent, quasi magique, avec l'enfant qu'il a nourri dans le sein de sa mère et on l'inhume avec beaucoup de respect. Beaucoup croient que si le placenta n'est pas traité avec tous les égards, l'enfant, les parents ou le village tout entier en subiront les terribles conséquences.

J. R. Davidson, un chercheur, rapporte par exemple que, dans le monde rural péruvien, le père doit, immédiatement après la naissance, emporter le placenta pour l'enterrer bien loin et très profondément afin que ni les animaux, ni les hommes ne puissent accidentellement le découvrir. Sinon, le placenta pourrait se montrer « jaloux » des attentions dont le bébé est l'objet et se venger en provoquant des épidémies.

Certaines cultures amérindiennes du Sud soutiennent que la vie d'un enfant peut être influencée par des objets qui ont été enterrés avec son placenta. Toujours selon Davidson, les parents, dans la tribu Qolla, enterrent des outils miniaturisés, copies fidèles de ceux que les adultes utilisent dans la vie quotidienne, avec l'espoir que l'enfant devienne un bon travailleur. Le placenta des garçons est souvent enterré en même temps qu'une pelle ou un pic, celui des filles, en association avec un métier à tisser ou une houe.

Le placenta n'est cependant pas toujours inhumé. Dans l'Égypte ancienne, celui des pharaons était déposé dans une urne spéciale pour le protéger. Un riche Inca, en

Équateur, fit réaliser une statue en or massif de sa mère, complète, avec son propre placenta à l'intérieur.

Même de nos jours, nombreux sont les peuples de différentes cultures qui croient que le placenta est doté de pouvoirs magiques. Toujours au Pérou, le placenta est brûlé et les cendres, mélangées à de l'eau, sont données aux bébés comme remède contre diverses maladies infantiles. La médecine traditionnelle vietnamienne l'utilise pour combattre la stérilité et la sénilité. En Inde, le fait de toucher un placenta aiderait les femmes stériles à concevoir un bébé en bonne santé.

Faire face à l'imprévu

Les accouchements, malheureusement, ne se passent pas toujours exactement comme prévu. De fait, les cas imprévus sont la majorité. L'*American Association of Obstetricians and Gynecologists* estime que trente pour cent des bébés naissent par césarienne et bon nombre d'accouchements par le vagin se pratiquent d'une manière ou d'une autre avec l'aide de médicaments. Comme pour tant d'autres aspects de la grossesse, recevoir au cours du travail et de l'accouchement des explications claires et précises concernant ce qui se passe, ainsi que les options possibles, vous aidera à prendre en connaissance de cause des décisions intelligentes pour faire face aux imprévus. Or, on n'accède à l'information qu'en posant des questions jusqu'à être entièrement satisfait des réponses reçues ; informez-vous des risques d'une procédure envisagée, de ses avantages, de ses effets sur votre compagne et sur le bébé. La seule exception à cette règle est le cas d'urgence médicale caractérisée. Dans ce cas, il vaut mieux réserver vos questions pour plus tard.

Vous trouverez ci-dessous la description de l'un ou l'autre cas qui peut se présenter pendant la naissance, ainsi que de la façon dont vous pouvez en être affectés tous deux.

LES ANALGÉSIQUES

Si vous avez suivi les cours prénatals (et même si vous ne les avez pas suivis), vous vous êtes peut-être promis tous deux d'avoir un accouchement « naturel » c'est-à-dire non médicamenté. Malheureusement, l'accouchement naturel paraît plus simple et moins pénible qu'il n'est en réalité. Puisque c'est votre compagne qui endure la douleur physique, c'est à elle que revient le droit de décider si elle aura ou non recours aux analgésiques. Cela ne signifie pas que vous n'avez rien à dire sur le sujet. Ce qu'il serait possible de faire, c'est discuter à fond avec elle, avant que ne commence la période du travail, de l'attitude à adopter à l'égard des médicaments. Vous sauriez ainsi si elle préfère que vous suggériez l'usage d'un analgésique lorsque vous devenez inquiet, ou si elle préfère que vous attendiez qu'elle le demande elle-même. Rappelez-vous cependant que si vous entamez une discussion sur l'usage de médicaments pendant le travail, vous devez adopter l'attitude la plus positive possible. Il est pénible de voir souffrir celle qu'on aime, mais ce n'est pas une bonne idée de se lancer dans une controverse, alors qu'elle est engagée dans la période de travail. Cela ne vous mènera de toute façon à rien.

Beaucoup de femmes sont persuadées que prendre un antidouleur est une marque de faiblesse, un signe qu'elles ont failli à leur rôle de femme et de mère. En outre, certaines méthodes de préparation à l'accouchement considèrent les médicaments comme un premier pas vers la césarienne. Ce qui n'est certainement pas le cas.

Quelques-unes des façons les plus courantes de soulager la douleur

L'épidurale

Une analgésie épidurale est habituellement administrée pendant la deuxième phase du travail, au moment où la douleur est la plus intense. Votre compagne sera invitée à se pencher sur une table ou à se coucher sur le côté gauche. Après qu'une anesthésie locale aura endormi l'endroit, une grosse aiguille, traversée par un cathéter amenant le médicament, est insérée dans l'espace entre la moelle épinière et la membrane qui l'entoure.

AVANTAGES
- L'effet est presque immédiat.
- C'est, pour la période de travail, l'analgésique le plus sûr et le plus efficace connu à ce jour.
- Très peu du médicament traverse le placenta.
- Le médicament n'entraîne pas de somnolence.
- Administrée correctement (et c'est habituellement le cas), l'épidurale bloque la douleur due aux contractions, tout en permettant à la future mère de sentir quand celles-ci commencent et donc quand elle doit pousser.

RISQUES
- Élévation possible de la tension artérielle chez la mère.
- Incapacité de sentir le besoin de vider la vessie, ce qui peut exiger l'installation d'une sonde urinaire.

- Si l'épidurale n'était pas administrée correctement, votre compagne pourrait ne plus sentir le moment où elle doit pousser. Cela conduirait à la nécessité d'utiliser les forceps (voir plus loin), ou augmenterait la probabilité de recourir à une césarienne.
- Provoque occasionnellement des nausées, des maux de tête, des bourdonnements d'oreille ou des crampes dans les jambes.

Le Démérol

Le Démérol est habituellement administré par intraveineuse ou intramusculaire dans la fesse. Il est généralement injecté au plus tard trois heures avant l'accouchement, en association avec un tranquillisant (voir ci-dessous).

AVANTAGES
- A un effet presque immédiat.
- A généralement peu ou pas d'effet sur la capacité de la patiente à pousser.

RISQUES
- Peut causer des nausées et des vomissements.
- À doses plus fortes, peut provoquer chez la patiente de la somnolence qui l'empêcherait de pousser.
- Le médicament traverse aisément le placenta, provoquant la somnolence du bébé à la naissance et l'incapacité de celui-ci à téter convenablement pendant un certain temps ou, plus rarement, à respirer sans assistance.

Les sédatifs et tranquillisants

Ceux-ci agissent exactement comme on peut l'imaginer : ils détendent et calment la patiente. Ils n'ont cependant que peu d'effet sur la douleur.

AVANTAGES
- Peuvent soulager l'anxiété.
- Si elle les prend à dose modérée, la patiente n'est pas engourdie et peut encore participer totalement à la naissance.

RISQUES
- Peut causer des nausées et de la somnolence.
- Traverse le placenta et peut causer des problèmes respiratoires temporaires et de la somnolence chez le bébé.

L'infirmière ou le médecin peuvent proposer à votre compagne de prendre un analgésique, vous pouvez aussi le demander vous-même. Nous ne suggérons pas qu'elle en prenne ni même qu'elle en aura besoin. Mais quel que soit son choix, bien connaître les options qui s'offrent est toujours utile.

L'ÉPUISEMENT

La douleur n'est pas la seule raison pour laquelle votre compagne a besoin d'un adjuvant chimique. Dans certains cas, le travail peut progresser si lentement (ou durer si longtemps) que le médecin en arrive à craindre que votre compagne soit trop épuisée quand le moment de pousser sera venu. C'est exactement ce qui s'est produit à la naissance de notre seconde fille. Après vingt heures de travail et seulement quatre centimètres de dilatation, notre médecin suggéra la pitocine, un médicament qui stimule les contractions, en association avec une épidurale. Ce cocktail chimique supprima les douleurs pendant le travail tout en permettant au col de l'utérus de se dilater rapidement et complètement. J'ai la conviction que ce traitement, non seulement n'augmente pas les risques d'une césarienne, mais évite d'y recourir en assurant à la femme en couches une bonne ventilation avant de commencer à pousser.

Autres problèmes fréquents à l'accouchement

Les forceps

Les forceps sont de longues pinces utilisées pour guider la tête d'un bébé récalcitrant vers la filière d'expulsion. Si l'accouchement progresse normalement, il n'y a aucune raison d'utiliser les forceps. Pourtant, certains médecins s'en servent d'habitude, souvent pour accélérer l'accouchement. La plupart du temps, l'accouchement aux forceps laisse des ecchymoses dans les régions temporales du bébé pendant une semaine ou deux. Il est rare que des cicatrices ou d'autres dommages soient causés par l'application des forceps. En outre, votre compagne aura besoin de médicaments supplémentaires et d'une épisiotomie plus large (voir ci-dessous). Les forceps peuvent légitimement être utilisés dans les cas suivants:

• La vie du bébé est en danger et la naissance par les voies naturelles doit être accélérée.

- Votre compagne est trop épuisée (ou sous médication) pour pouvoir pousser efficacement. Dans ce cas, l'utilisation des forceps permet d'éviter une césarienne.

L'épisiotomie

L'épisiotomie consiste à pratiquer une petite incision dans le périnée (la partie située immédiatement sous le vagin) pour agrandir l'ouverture de ce dernier et faciliter ainsi le passage de la tête du bébé. Presque quatre-vingt-dix pour cent des femmes qui accouchent d'un premier enfant sous la surveillance d'un obstétricien subissent une épisiotomie (qu'elles en aient besoin ou non). Beaucoup de femmes trouvent qu'une petite déchirure est préférable à une épisiotomie de routine, tout en étant moins douloureuse. L'épisiotomie est justifiée si :

- le bébé est extrêmement gros et son passage par le vagin pourrait causer des dommages au bébé ou en faire subir à la mère ;
- les forceps sont utilisés ;
- le bébé se présente par le siège.

Présentation par le siège

Lorsque le bébé se présente par le siège, les pieds sortent d'abord (seulement trois à quatre pour cent des enfants naissent de cette façon). On ne peut rien modifier à la façon dont naît le bébé. Dans la plupart des cas, le fait que le bébé se présente par le siège ne nécessite aucune précaution spéciale. Toutefois cette façon de se présenter accroît le risque de devoir procéder à une césarienne.

Surveillance externe et interne du fœtus

La technique consiste à attacher un appareil plutôt compliqué – comprenant des graphes, des sorties digitales, et un avertisseur de haute technologie – à l'abdomen de la future mère. On utilise cette technique pour surveiller les battements du cœur du bébé et les contractions de la mère.

À certains égards, cette surveillance du fœtus est remarquable. Si l'appareil est convenablement ajusté, il est d'une telle précision qu'en surveillant l'écran, on est capable de dire quand les contractions de la mère commencent, même avant qu'elle ne s'en aperçoive elle-même, et de quelle intensité elles seront. L'avertissement que vous en recevez permet d'aider votre compagne pendant la contraction. Mais si vous vous exclamez avec humour : « Es-tu prête, Chérie ? En voici une, elle a l'air fameuse ! », il est probable que, de son côté, votre compagne n'appréciera guère la plaisanterie.

Dans beaucoup d'hôpitaux, les femmes en cours de travail sont normalement raccordées à des moniteurs externes du fœtus. Des moniteurs internes (ou électrodes fixées au crâne du bébé) sont aussi fréquemment utilisés. Cependant, s'il n'y a pas de raison impérieuse d'en porter un (par exemple, si votre compagne a reçu une épidurale, ou s'il y a des signes de détresse du fœtus), il vaudrait mieux vous en passer. Voici pourquoi :

• Lorsque le moniteur du fœtus est branché, votre compagne est pour ainsi dire confinée au lit. Plus de douches, plus de visites à la pouponnière, plus de positions de travail élaborées.

• Le système peut causer des frayeurs terribles. Lorsque ma femme était raccordée à un moniteur de ce genre pendant sa première grossesse, nous aimions entendre le bruit réconfortant du battement régulier du cœur du bébé, cent quarante fois par minute. Mais à un moment donné, le rythme du cœur se mit à ralentir à cent vingt, puis cent, puis quatre-vingt, puis soixante coups par minute. Il n'y avait en réalité aucun problème, le médecin essayait simplement de retourner le bébé, mais entendre le rythme de ce petit cœur ralentir à ce point a failli nous donner une crise cardiaque à ma femme et à moi.

Encore un conseil à propos du moniteur fœtal : si vous devez absolument en utiliser un, veillez à réduire le volume au minimum, sinon à le couper.

La césarienne

L a majorité des parents préfèrent mettre leurs enfants au monde par un accouchement « normal » et la plupart du temps, tout se passe sans difficulté. Mais en cas de problème, l'éventualité d'une césarienne augmente grandement. De fait, plus de trente pour cent des accouchements en milieu hospitalier se font par césarienne.

L'état de votre compagne

La plupart des cours prénatals (voir les pages 134 à 140) mettent en vedette l'accouchement naturel sans médication. Beaucoup de femmes se sentent donc encouragées à donner naissance à leur enfant de cette manière et peuvent considérer l'événement comme un échec si ce n'est pas le cas, surtout après avoir investi tant d'heures dans une pénible et longue période de travail (lire aussi à ce sujet les pages 221 et 222).

De plus, se rétablir après une césarienne est certainement plus long qu'après un accouchement vaginal (la page 222 donne les détails à ce sujet). Ma femme et moi avons passé trois nuits à l'hôpital après la naissance par césarienne de notre première fille. À la naissance (par voie vaginale) de la seconde, nous n'y sommes restés que cinq heures. Il faut reconnaître que nous étions un peu pressés ; la plupart des accouchées par voie naturelle demeurent hospitalisées pendant les vingt-quatre ou les quarante-huit heures qui suivent la naissance.

Et vous dans tout cela ?

Vous accueillez la décision du médecin de pratiquer une césarienne très différemment de votre compagne. Selon les études de Katharyn May, seulement huit pour cent des hommes dont la compagne a dû subir une césarienne ont fait objection à cette opération ; quatre-vingt-douze pour cent se sont déclaré « grandement soulagés ». Bien que je n'aie pas participé à ces études, leur conclusion rejoint ma propre expérience. Il ne m'est jamais venu à l'esprit de considérer, d'une manière ou d'une autre, que la naissance de notre première fille a été une faillite parce qu'elle avait exigé une césarienne. Bien au contraire, je me rappelle mon sentiment d'immense soulagement en voyant les souffrances de ma femme toucher à leur fin. En constatant avec quelle rapidité et quelle simplicité le bébé est venu au monde, je me suis étonné qu'on n'ait pas décidé plus tôt d'adopter cette méthode.

Pourtant, malgré le soulagement qu'un père ressent en même temps que sa femme, la césarienne peut être pour lui une dure épreuve. Par principe, il est séparé d'elle tandis qu'on prépare celle-ci pour l'opération, et on ne pense à lui donner aucune information sur ce qui se passe. Je me rappelle avoir été abandonné dans le hall adjacent à la salle d'opération, essayant d'y jeter un coup d'œil à travers une minuscule fenêtre. J'étais fort inquiet et surtout je me sentais totalement impuissant et inutile tandis que les médecins, infirmières et assistants se précipitaient de-ci de-là, bloquant ma vue, revêtant leur blouse, se désinfectant les mains, ouvrant des trousses de scalpels, des paquets de tubes et Dieu sait quoi encore ! Une seule personne, le pédiatre qui devait attendre la fin de l'opération, prit une minute pour venir me taper sur l'épaule et me dire que tout irait bien. De toute ma vie, je ne me suis jamais senti aussi reconnaissant à quelqu'un.

Lorsque enfin, j'ai pu pénétrer dans la salle d'opération, on m'a dit d'un ton péremptoire de m'asseoir au chevet de ma femme. Un rideau tiré à hauteur de sa poitrine m'empêchait de voir ce que faisaient les chirurgiens. Chaque fois que je me levais pour regarder, l'anesthésiste me rasseyait d'autorité. J'étais trop anéanti pour discuter, mais l'un de mes amis, dont la compagne subit aussi une césarienne dans le même hôpital quelques années plus tard, refusa de se soumettre et fut admis à passer de l'autre côté du rideau.

Ce que vous pouvez faire

Mon ami et moi pourrions être les deux seules exceptions heureuses, car dans beaucoup d'hôpitaux, les pères ne sont pas admis dans la salle d'opération, à quelques rares exceptions près et pour autant qu'ils aient suivi un cours préparatoire spécial sur la césarienne. Il faut espérer qu'avant même de vous être inscrits à l'hôpital, votre compagne et vous avez eu l'occasion de transmettre à votre obstétricien vos attentes à propos de la césarienne et que vous vous êtes informés des règlements de l'hôpital. (Voir aux pages 24 et 25 les autres points à discuter avec votre gynécologue-obstétricien.)

Principales raisons d'ordre médical en faveur d'une césarienne

- Disproportion fœto-pelvienne. Le pelvis de la mère est trop étroit pour permettre le passage de la tête du bébé au travers du vagin.

- Arrêt de la progression du travail. Exténuée par un trop long travail, la mère est incapable de pousser pour faire sortir le bébé.

- Herpès maternel actif. Si la mère a une éruption d'herpès dans les quatre semaines environ avant la naissance, il n'y a guère d'autre choix.

- Problèmes placentaires. Un décollement placentaire prématuré provoque des hémorragies et peut menacer la vie de la mère et de l'enfant. Un placenta obturant totalement ou partiellement le col de l'utérus (*placenta praevia*) empêche le bébé de quitter l'utérus.

- Position du bébé. Dans certaines circonstances, si le bébé se présente par le siège (les pieds d'abord) ou s'il est en position transverse (visage tourné vers l'avant au lieu d'être tourné vers l'arrière), une césarienne devrait être plus probable.

- Césarienne(s) antérieure(s). Contrairement à ce qu'on croit généralement, avoir déjà subi une césarienne n'augmente que de trois pour cent la probabilité d'une nouvelle césarienne.

Quelques raisons non médicales en faveur d'une césarienne

- Respect du programme du médecin. Pratiquer une césarienne permet au médecin de ne pas devoir attendre la fin souvent imprévisible de la période de travail.

- Facilité. Beaucoup d'obstétriciens considèrent que l'accouchement par césarienne pose moins de problèmes que l'accouchement vaginal.

- Fin de semaine. Il y a davantage de naissances par césarienne le vendredi après-midi, alors que les médecins, fatigués, ont hâte de rentrer chez eux pour la fin de semaine.

- Crainte des poursuites. Si quelque chose tourne mal au cours de l'accouchement – état de détresse du fœtus ou de la mère, ou malformation congénitale – l'obstétricien est susceptible de se faire reprocher d'avoir laissé le travail durer trop longtemps. C'est pourquoi, dans certains cas, il pratique une césarienne pour accélérer les choses.

Si la césarienne est une opération aujourd'hui très courante, elle reste malgré tout une intervention chirurgicale importante. De ce fait, votre compagne requerra par la suite certains soins spéciaux.

Tout d'abord, si étrange que cela paraisse, après avoir subi une césarienne, votre compagne peut se croire totalement abandonnée. Restée consciente pendant toute l'opération, elle est pressée de voir le bébé. Or, après un accouchement naturel, la mère peut voir et toucher immédiatement son enfant, tandis qu'après une césarienne, le bébé est rapidement emporté afin de dégager les poumons du mucus qui les encombre. Bien que cette opération semble être une procédure d'urgence, le dégagement des poumons d'un bébé né par césarienne n'est qu'une simple routine. Dans le cas de la naissance par voie vaginale où le bébé traverse un étroit canal, il est comprimé par une sorte de « manœuvre de Heimlich » qui exprime le liquide amniotique hors des poumons. Les bébés nés par césarienne ne subissent pas cette compression et ont besoin, en compensation, d'un peu d'aide extérieure.

Vous serez déçu si vous souhaitiez couper solennellement le cordon ombilical : les chirurgiens l'auront fait sans vergogne. Si le bébé reçoit les soins dans la salle d'opération, faites-en la description à votre compagne, elle sera certainement curieuse de savoir ce qui se passe. Dans certains hôpitaux, les bébés nés par césarienne sont emmenés immédiatement hors de la salle d'opération et placés dans la pouponnière où ils seront lavés, examinés et traités selon les modalités exposées au chapitre précédent. Tout cela peut durer de cinq minutes à quelques heures.

Même si vous préférez rester près de votre compagne pour la réconforter après la naissance, faites plutôt acte de présence auprès du bébé. Il est en effet pénible pour un nouveau-né d'être enlevé sans ménagements aux chaudes caresses de ses parents, mais ce serait pire pour lui s'il devait être séparé à la fois de l'un et de l'autre. Rester auprès de ma fille m'a aussi aidé à calmer cette crainte maladive qu'elle puisse être échangée contre un autre bébé dans la pouponnière (cas hautement improbable, compte tenu des mesures de sécurité appliquées dans la plupart des hôpitaux).

La convalescence émotionnelle de votre compagne

Une césarienne non planifiée suscite parfois toute une gamme d'émotions contradictoires chez votre compagne. Comme vous, elle peut se sentir soulagée que le bébé soit là et que les douleurs aient disparu. En même temps, il est très naturel qu'elle reconsidère sa décision en se demandant si elle n'aurait pas dû éviter cette opération, ou en se disant qu'elle a manqué à toutes les règles en n'accouchant pas par la voie naturelle. De tels sentiments sont particulièrement fréquents lorsque la césarienne a été décidée parce que le travail ne « progressait » plus (lisez plutôt : le col de l'utérus ne s'est pas dilaté aussi rapidement que les médecins l'auraient espéré).

S'il vous semble que votre compagne ressasse l'une ou l'autre de ces pensées démoralisantes, il faut que vous les combattiez immédiatement. Persuadez-la que nul n'aurait pu faire mieux, ou n'aurait pu se montrer plus fort ou plus courageux qu'elle. En effet, loin d'abdiquer devant la douleur, elle a déployé tous ses efforts pour relancer le travail. Que la décision qu'elle a prise (ou du moins à laquelle elle a donné son accord) était la meilleure pour le bébé et pour elle.

Certains de ces commentaires paraissent évidents à vos yeux, tellement évidents qu'il n'y aurait pas lieu de les mentionner. Mais il est nécessaire que vous les lui rappeliez. Vous étiez près d'elle et vous connaissez mieux que personne ce par quoi elle a passé. Être donc réconfortée et félicitée par vous représente beaucoup plus pour elle que ne le seraient les mêmes mots sortis de la bouche de n'importe qui.

À se rappeler après une césarienne

- La cicatrice de votre compagne sera sensible ou même douloureuse pendant plusieurs jours au moins. Heureusement, on lui administrera sans doute un analgésique par injections intraveineuses.

- Une infirmière passera fréquemment pour s'assurer que l'utérus se raffermit et reprend sa place, pour vérifier si les mictions sont suffisantes et pour changer les pansements.

- Votre compagne devra recevoir des injections intraveineuses jusqu'à ce que ses intestins fonctionnent normalement (habituellement de un à trois jours après l'accouchement). Lorsque les intraveineuses seront arrêtées, elle commencera un régime liquide auquel on ajoutera peu à peu des aliments solides, afin de reprendre progressivement un régime alimentaire normal.

- Votre compagne devra se lever et se promener un peu. Bien que la césarienne soit une chirurgie abdominale majeure, moins de vingt-quatre heures après la naissance, les infirmières inciteront votre compagne à se lever et à faire (péniblement) quelques pas avec leur aide.

- Avant de quitter l'hôpital, les points de suture ou agrafes seront enlevés. Oui, des agrafes ! Jusqu'à ce que j'aie entendu un bruit métallique lorsque le médecin les a jetées dans un récipient, j'étais persuadé que la cicatrice avait été recousue immédiatement après l'opération.

Attention...

Ne suggérez jamais à votre compagne d'envisager l'éventualité d'une césarienne. Laissez au médecin le soin de lui en parler.

Lorsque ma femme attendait notre seconde fille, la douleur qu'elle avait dû supporter au cours du premier accouchement était encore très présente à ma mémoire. À un moment donné, je lui ai fait savoir que j'étais encore traumatisé par la pensée qu'elle pourrait devoir endurer à nouveau un travail aussi pénible et je lui ai suggéré d'envisager la possibilité d'une césarienne préprogrammée.

Je n'aurais jamais imaginé que quelqu'un puisse piquer une colère aussi violente. Pourtant, j'avais les meilleures intentions du monde et je ne pensais qu'à atténuer sa souffrance. Manifestement, j'avais sous-estimé l'importance incroyable qu'elle accordait au fait de donner le jour par la voie naturelle, surtout après avoir dû subir une première césarienne.

Beaucoup d'hommes auxquels j'en ai parlé ont anticipé les mêmes réactions de la part de leur compagne. La plupart ont été suffisamment sages pour ne pas se risquer à formuler un tel conseil. Espérons que vous ne le ferez pas non plus. Communiquez donc à votre compagne vos sentiments et vos états d'âme, sauf s'il s'agit de césarienne.

« Maintenant, Chérie, que faisons-nous ? »

L'état de votre compagne

Physiquement

- Pertes vaginales (nommées lochies) qui, avec le temps, contiendront de moins en moins de sang et vireront au brun, puis au jaune (durée : environ six semaines).
- Vive sensation d'inconfort s'il y a eu épisiotomie ou césarienne (la douleur devrait disparaître en six semaines).
- Constipation
- Seins douloureux – commençant environ le troisième jour après l'accouchement (les seins se « gorgent » de lait) et, si elle allaite, les mamelons seront sensibles pendant environ deux semaines.
- Perte progressive de poids.
- Fatigue extrême, surtout si le travail a été long et pénible.
- Les contractions se poursuivent, spécialement pendant l'allaitement, mais disparaissent en quelques jours.
- Perte de cheveux (la plupart des femmes cessent de perdre leurs cheveux pendant la grossesse, mais rattrapent le temps perdu après l'accouchement...)

Émotivement

- Soulagement : tout est fini !
- Excitation, dépression ou les deux à la fois (voir la page 226).
- Inquiétude au sujet de sa compétence à être mère et de son aptitude à allaiter (mais, au cours des prochaines semaines, sa confiance s'affirmera et ses craintes disparaîtront).
- Désir profond d'arriver à bien connaître le bébé.
- Agacement au sujet de son manque de mobilité.
- Appétit sexuel en chute libre.

Dépression et morosité dans la période du post-partum

Près de soixante-dix pour cent des accouchées récentes traversent des périodes de mélancolie, de crises de larmes, de sautes d'humeur, d'insomnies, d'inappétence, d'indécision, de colères ou d'anxiété. Ces manifestations de mélancolie, que beaucoup croient être causées par des modifications hormonales chez la jeune mère, peuvent durer des heures et parfois des jours, mais disparaissent souvent après quelques semaines. Si votre compagne manifeste l'un ou l'autre de ces symptômes, vous n'y pouvez pas grand-chose, sinon vous montrer particulièrement compréhensif. Encouragez-la à sortir de la maison et veillez à ce qu'elle se nourrisse sainement.

Dans certains cas, cette morosité peut se transformer en dépression. Selon l'*American College of Obstetricians and Gynecologists*, cette dépression, si elle n'est pas décelée et traitée, peut empirer ou se prolonger indéfiniment. Voici à ce sujet quelques symptômes à surveiller :

- Un état de morosité qui perdure au-delà de deux semaines, ou des manifestations de dépression ou de colère qui surgissent un mois ou deux après l'accouchement.
- Des sentiments de tristesse, de doute, de culpabilité ou d'impuissance qui commencent à perturber le comportement normal de votre compagne.
- Elle ne peut s'endormir même si elle est fatiguée, ou elle dort la plupart du temps, même si le bébé est éveillé.

- Variation marquée de l'appétit.
- Inquiétude et soucis exagérés au sujet du bébé, ou manque caractérisé d'intérêt pour le bébé ou pour d'autres membres de la famille.
- Crainte de blesser le bébé ou pensées d'autodestruction.

Encore une fois, presque tout ce que vivra votre compagne après la naissance correspond à la normale et il n'y a pas lieu de s'inquiéter. Soyez donc patient et n'espérez pas la voir réagir immédiatement. Si vous êtes réellement inquiet, cependant, encouragez-la à vous confier ce qu'elle ressent et à consulter son médecin.

L'état du bébé

Pendant des milliers d'années, la plupart des gens ont cru qu'à la naissance, les enfants n'étaient capables que de manger, de dormir, de crier et d'esquisser quelques vagues mouvements. Mais vers la moitié des années 1960, les chercheurs Peter Wolff et Heinz Prechtl ont découvert que le comportement des jeunes enfants, qu'ils avaient précédemment taxé d'erratique, ressortissait en réalité de six états clairement définis et déjà apparents quelques minutes après la naissance. En les décelant, en déterminant le moment de leur apparition et les réponses espérées pour chacun, estiment Marshall et Phyllis Klaus, auteurs de *The Amazing Newborn*, les parents peuvent arriver non seulement à mieux connaître leurs enfants mais aussi à répondre plus justement à leurs besoins. Nous résumons ces six états, d'après les travaux des Klaus :

État de veille tranquille

Les bébés en état de veille tranquille bougent rarement, toute leur énergie est centrée sur la vision et l'ouïe. Ils peuvent suivre un mobile des yeux, ils imiteront même les expressions de votre visage.

Dans la première heure qui suit la naissance, la majorité des bébés vivent une période de veille tranquille qui dure une quarantaine de minutes. Pendant les sept premiers jours, le bébé ne passe normalement que dix pour cent du temps dans cet état. C'est alors, cependant, qu'il est le plus curieux et qu'il accumule les informations sur son nouvel environnement. C'est alors aussi que vous pouvez vous rendre compte qu'une personne réelle vit à l'intérieur de ce minuscule petit corps.

État de veille active

Lorsqu'il est dans cet état, le bébé émet de petits sons et remue fréquemment et avec énergie les bras, la tête, le visage et les yeux.

Les mouvements du bébé se produisent souvent par brusques poussées, quelques secondes d'activité toutes les minutes ou les deux minutes. Certains spécialistes pensent que ces mouvements ont pour but de transmettre aux parents des indications sur les besoins ou les désirs du bébé. D'autres croient que les mouvements attirent seulement l'attention et qu'ils ont donc pour but de provoquer l'interaction parents-enfant.

Les pleurs

Pleurer est un acte parfaitement naturel, et fréquent pour certains bébés (on trouvera plus d'information à ce sujet aux pages 256 à 261). Les yeux sont soit ouverts, soit fermés, le visage est congestionné, et les bras et jambes se meuvent vigoureusement.

Souvent, prendre le bébé dans les bras et le promener arrête les pleurs. Les chercheurs croyaient que c'était la position verticale seule qui calmait les bébés, note-t-on avec intérêt. Pourtant que ce qui les calme en réalité est le mouvement de redressement vers la position verticale.

Gardez aussi à l'esprit que les pleurs ne sont pas une mauvaise chose, non seulement elles permettent au bébé de communiquer, mais en outre c'est un excellent exercice. Si vos efforts pour calmer ces pleurs ne sont pas immédiatement couronnés de succès, et en supposant que le bébé ne réclame pas à manger ou ne doive pas être changé, ne vous tracassez donc pas.

Il est fort possible que ces pleurs cessent au cours des minutes qui suivent.

La somnolence

C'est un état de transition qui correspond à l'endormissement ou au réveil du bébé. Il peut y avoir quelques mouvements et le regard est souvent vague et inexpressif. Ne vous occupez pas de lui, laissez-le doucement s'endormir ou passer à l'un des états de veille.

Le sommeil tranquille

Le visage du bébé est détendu et les paupières sont closes et immobiles. Il n'y a aucun mouvement du corps et à peine de légers mouvements, presque imperceptibles, des lèvres.

Lorsque votre enfant est dans cet état, vous pourriez être alarmé par l'absence de mouvements et craindre qu'il n'ait cessé de respirer. Dans ce cas, penchez-vous aussi près que possible de lui pour déceler son souffle. Ou posez très doucement la main sur son dos pour sentir le mouvement de la respiration. Essayez de résister à l'envie de le réveiller. La plupart des bébés dorment quatre-vingt-dix pour cent du temps pendant les premières semaines de la vie.

Le sommeil actif

Les yeux, normalement fermés, peuvent occasionnellement papilloter. Le bébé peut aussi sourire ou froncer les sourcils, esquisser des mouvements de succion, et même gémir faiblement ou faire un geste convulsif, tout comme font les adultes dans leur phase de sommeil actif.

La moitié du temps de sommeil d'un bébé est consacrée au sommeil tranquille, l'autre au sommeil actif ; ils alternent toutes les demi-heures environ. En conséquence, si votre bébé endormi commence à s'agiter, à geindre ou semble vouloir se réveiller en grommelant, attendez quelques secondes avant de le prendre pour le pouponner, le nourrir ou le changer. Si vous le laissez en paix, il peut fort bien retomber dans le sommeil tranquille.

Les nouveau-nés font bien plus que pleurer, dormir et regarder autour d'eux. Âgés d'à peine quelques heures, ils essaient déjà de communiquer avec ceux qui l'entourent. Ils sont capables d'imiter certaines expressions du visage, ont une certaine maîtrise de leurs mouvements et peuvent déjà marquer leurs préférences (la plupart préfèrent des objets à motifs plutôt que des objets simples et des lignes courbes plutôt que des lignes droites). Ils ont aussi une excellente mémoire. Marshall Klaus décrit le jeu où une petite fille âgée d'à peine huit heures fut placée dans les bras d'une collègue inconnue d'elle. La collègue avait pour mission de tirer lentement mais ostensiblement la langue.

Après quelques secondes, le bébé fit de même. Le Dr Klaus prit alors le bébé et le passa successivement à douze médecins et infirmières présents qui participaient à l'expérience et auxquels on avait recommandé de ne pas tirer la langue. Lorsque le bébé revint finalement chez la première collègue, le bébé tira immédiatement la langue, sans aucune provocation de la part de celle-ci. Même à l'âge de quelques heures, elle avait de toute évidence reconnu sa « complice ».

Si vous souhaitez que votre bébé réagisse à vos incitations et joue avec vous, efforcez-vous d'établir la communication pendant les périodes de veille active. Au cours des premiers mois, les bébés sont fort attirés par les contrastes et c'est pour cela que les jouets noir et blanc et les objets à motifs ont beaucoup de succès auprès d'eux. Mais soyez patient. Les bébés sont de petites créatures incroyablement intelligentes, mais qui savent aussi fort bien ce qu'ils veulent. Par exemple, en dépit de vos efforts, votre enfant peut ne pas tenir à s'exhiber comme un phoque savant au gré de vos caprices.

Et vous dans tout cela ?

Amour inconditionnel

Un jour ou l'autre, tout écrivain se risque à décrire l'amour. La plupart s'y brûlent les ailes. Pourtant, une ligne du classique pour enfants de Maurice Sendak intitulé *Where the Wild Things Are* décrit bien le sentiment d'amour que l'on porte à son enfant. Elle se lit à peu près: « De grâce, ne t'en va pas – nous te mangerons tout rond – nous t'aimons tant. » Aussi fou que cela paraisse, c'est précisément ainsi que je ressens mon amour pour mes filles. Que ce soit en jouant, en feuilletant un livre, en bavardant avec elles de tout et de rien, ou en regardant simplement leur frimousse douce et paisible lorsqu'elles dorment, je suis soudain submergé par le désir de les prendre, d'en faire de petites boulettes d'amour et de les manger. Je sais, cela paraît idiot, mais attendez la suite…

L'une de mes plus grandes craintes pendant la seconde grossesse de ma femme venait de l'impression de ne pas pouvoir aimer notre second enfant autant que le premier, de ne pas pouvoir partager avec la nouvelle venue l'amour consumant, débordant, que je ressentais pour notre première fille. Mais je n'aurais pas dû me tracasser. Trois secondes ne s'étaient pas écoulées depuis la naissance de la plus jeune que je souhaitais aussi la manger tout rond.

Respect et admiration pour ce que la femme peut accomplir

Assister au travail de votre compagne est réellement une expérience qui vous remplit d'humilité ; il y a peu de chance que votre force physique, votre volonté et votre courage aient été soumis à semblable épreuve. Il faut avoir vu sortir un bébé du vagin d'une femme pour se convaincre que les femmes sont réellement différentes des hommes.

Je sais que les naissances vaginales se produisent depuis des millions d'années et que c'est la façon normale dont les bébés viennent au monde. Pourtant, d'une certaine manière, il y a quelque chose d'illogique dans tout le processus : le bébé semble si gros et le vagin si étroit que le phénomène rappelle l'énigme du « bateau dans la bouteille ». Incontestablement, une césarienne semblerait plus « normale » : pratiquer, lorsque le fœtus est arrivé à maturité, une ouverture à sa dimension pour l'extraire de l'abdomen de la mère. On pourrait supposer qu'avec les étonnants progrès techniques réalisés dans d'autres domaines, on aurait pu inventer une façon plus rapide et moins pénible d'avoir des enfants.

Jalousie

Le sentiment le plus destructeur et le plus perturbateur de votre nouvelle paternité est la jalousie, affirme le Dr Martin Greenberg dans son livre intitulé *The Birth of a Father.*

Il existe énormément de motifs de jalousie, mais une seule question : « De qui être jaloux ? » De votre compagne parce qu'elle est capable de nourrir le bébé au sein et d'entretenir une relation unique avec le bébé, ou du bébé parce qu'il prend plus que sa « part » de l'attention de votre compagne et parce qu'il a un accès privilégié à ses seins alors que vous ne pouvez même plus les toucher ? La réponse est : « des deux à la fois ».

À présent que le bébé est né, la communication avec votre compagne devient plus importante que jamais. La jalousie, potentiel de destruction, soutient Greenberg, ne réside pas dans le fait d'avoir des sentiments, mais bien de les entretenir. Si vous vous sentez jaloux, parlez-lui-en. Mais au cas où cela vous serait impossible, confiez-vous à un ami ou à un parent. Vous serez surpris de constater combien ces sentiments de jalousie sont fréquents.

Sentiment d'être rejeté ou exclu

Être tenu à l'écart ou même exclu de la toute nouvelle expérience de vie parentale est une autre impression fréquente chez les nouveaux pères. Pamela Jordan écrit en substance ceci : « La mère joue un rôle essentiel. C'est elle qui peut mettre son compagnon en vedette ou le tenir à l'écart. Celles qui veillent le plus attentivement à encourager la participation de leur compagnon... partagent fréquemment et ouvertement avec lui leurs sensations physiques et leurs réponses émotionnelles. Elles incitent fortement leur compagnon à vivre en leur compagnie l'expérience de devenir et d'être effectivement un père ».

Bien qu'il soit facile de céder à la pulsion de la jalousie, de laisser tomber les bras et d'abandonner toute responsabilité à votre compagne, ayez la force de réagir. Encouragez-la à vous confier ce qu'elle pense et ce qu'elle ressent, et demandez-lui instamment de vous y associer.

Un excellent moyen de surmonter votre éventuelle tendance à la jalousie et votre sentiment d'isolement est de faire immédiatement connaissance avec le bébé, avant même de quitter l'hôpital. Changez-le le plus souvent possible et donnez-lui le bain. Si vous n'avez jamais langé un bébé, demandez à l'une des infirmières de vous l'apprendre. Emmenez-le en promenade pendant que sa mère prend un peu de repos.

Les bouleversements dans votre vie

Il est presque impossible de décrire les myriades de façons dont la paternité changera votre vie. Sans doute savez-vous déjà que vous devenez garant de la sécurité et du bien-être d'une petite personne vulnérable. On vous a dit que vous y perdrez quelques heures de sommeil (c'est vraiment peu dire) et beaucoup de votre tranquillité. Vous vous tenez aussi prêt à rogner sur vos soirées de lecture et vos séances de cinéma. Voilà quelques-uns des grands bouleversements évidents, mais ce sont surtout les tout petits détails qui vous montreront combien différente sera désormais votre vie.

On ne peut expliquer mieux cela que de la façon suivante : supposons qu'un jour, l'une de mes filles mette de la nourriture en bouche puis, après l'avoir mâchée, changeant d'avis, la retire et me la tend. J'accepterais évidemment ce cadeau que je mettrais en bouche sans hésiter. Vous feriez certainement de même. Plus étonnant encore, depuis que je suis devenu père, j'ai ma foi ! eu de très sérieuses discussions avec mes amis au sujet de la couleur et de la consistance du contenu des langes de mes enfants. Cela vous arrivera aussi.

L'établissement de liens avec Bébé

Nul ne sait quand cela a commencé, mais l'une des idées les plus répandues et les plus difficiles à déraciner dans le domaine de l'éducation des enfants, c'est le fait que les femmes s'y entendent mieux que les hommes et sont par conséquent bien meilleures éducatrices que leurs confrères masculins.

Dans l'une des premières études sur les relations entre père et enfant, Ross Parke constatait, au risque de choquer les traditionalistes, que, vis-à-vis de leur progéniture, les pères étaient tout aussi aimants, attentifs et attentionnés que les mères. Qu'ils caressaient, cajolaient, embrassaient, berçaient le bébé et roucoulaient avec lui tout autant qu'elles. Quelques années plus tard, le Dr Martin Greenberg a créé en anglais un terme censé décrire l'intérêt, la préoccupation d'un père pour son enfant, et ce terme est *engrossment*, qui pourrait se traduire par accaparement ou possessivité.

Parke et plusieurs autres chercheurs ont à maintes reprises confirmé ces constatations relatives aux relations entre le père et l'enfant et ont conclu que ce sentiment chez l'homme émane de la même source que le besoin de nourrir chez la femme, à savoir un contact précoce et étroit avec l'enfant. En résumé, pense Parke, le comportement affectif et stimulant vis-à-vis de l'enfant dépend des occasions que l'on a de serrer l'enfant dans ses bras.

Et si les liens ne s'établissent pas d'emblée ?

Nous venons de passer quelque temps à évoquer le plaisir de chérir son enfant et l'importance de tisser un lien à établir avec lui ou avec elle aussi tôt que possible. Cependant, certains nouveaux pères (certaines mères aussi) ne se sentent pas d'emblée si proches que cela du nouveau-né.

En un sens, une telle attitude est plus logique que le grand-amour-dès-le-premier-regard dont on entend souvent parler. Après tout, vous ne connaissez encore rien de cette petite personne peut-être très différente de ce que vous aviez imaginé. En outre, si l'accouchement a été long et pénible, il se pourrait qu'inconsciemment vous en rejetiez la faute sur le bébé, ou encore que vous soyez trop exténué pour apprécier à sa juste valeur l'arrivée de ce nouveau petit être.

Si donc vous n'avez pu établir instantanément de relation d'amour avec votre bébé, ne vous en faites pas reproche. Il n'y a vraiment aucune raison que vos liens et vos sentiments vis-à-vis de l'enfant ne soient pas tout aussi chargés d'amour que si vous vous en étiez follement épris au premier coup d'œil. Prenez tout le temps nécessaire et ne vous faites pas violence.

Ce que vous pouvez faire

Les quelques premiers jours

Dans les tout premiers jours, vous allez devoir tenir de nombreux rôles. Vous êtes toujours amoureux de votre compagne et, bien sûr, vous êtes devenu père. Mais en ce moment, votre principal devoir est d'être un soutien pour votre compagne. En plus de la convalescence à poursuivre, dont nous reparlerons un peu plus loin, elle devra s'appliquer à connaître le bébé et à apprendre à le nourrir au sein, si c'est le choix qu'elle a fait.

À la naissance par césarienne de notre première fille, nous sommes restés à l'hôpital pendant trois jours, ce qui m'a valu trois nuits suprêmement inconfortables, recroquevillé dans un lit trop court. À la naissance par voie vaginale de notre seconde fille, nous avons quitté notre chambre cinq heures après la naissance. Dans les deux cas, pourtant, mes premiers jours à la maison ont été également surchargés. Cuisine, courses, lessives, mise en ordre de la chambre de bébé, annonce de la nouvelle, filtrage des appels téléphoniques et des visiteurs, sans compter les indispensables périodes de repos pour chacun.

Le retour à la maison... et après ?

À peine rentrés de l'hôpital avec notre première fille, nous nous sommes regardés l'un l'autre et, presque simultanément, nous nous sommes exclamés : « Bon ! Maintenant, que faisons-nous ? » Voilà à coup sûr une question pertinente, et qui reviendra souvent.

REMARQUE SUR LA CONVALESCENCE

En ce qui concerne le bébé, il n'y a pas grand-chose à faire au début si ce n'est le nourrir, le changer et l'admirer. Mais en ce qui concerne votre compagne c'est autre chose. Malgré tout ce que vous auriez pu entendre au sujet de femmes qui accouchent dans les champs et retournent au travail quelques minutes plus tard, ce n'est pas ainsi

Faciliter l'acceptation du bébé par ses frères et sœurs

Traiter le délicat problème de l'insertion du bébé dans le noyau familial requiert du doigté et de la sensibilité. Bien que les enfants soient souvent (du moins au début) emballés et surexcités par leur nouveau statut de grand frère ou de grande sœur, la plupart devront probablement traverser une période d'adaptation au moment où ils s'apercevront que le nouveau venu est plus qu'un visiteur de passage. Notre fille aînée, par exemple, qui était devenue complètement propre avant la naissance de sa sœur, régressa et se mit à mouiller à nouveau son lit quelques semaines après cette naissance. Elle se mit aussi à exiger l'une ou l'autre chose pour attirer notre attention, exigences que nous n'étions pas toujours à même de satisfaire.

Pour bien préparer vos aînés à la venue du bébé, il faut les associer très tôt à l'événement. L'aînée a été hébergée chez mes parents au moment de la naissance de la cadette. Elle fut toutefois la première à être avertie de la naissance et c'est elle qui fit l'annonce au reste de la famille en déclarant qu'elle était devenue une grande sœur. Nous l'avions aussi fait venir à l'hôpital dès la naissance de sa petite sœur, alors que l'heure du coucher avait déjà sonné depuis un certain temps pour elle, et elle eut la permission de tenir le bébé « toute seule ». Plus tard, lui permettre de langer, de baigner, de nourrir et d'habiller sa sœur lui a réellement donné l'impression que le bébé était un peu à elle.

Que pouvons-nous faire pour vous ?

C'est l'une des questions que vous entendrez le plus souvent, qu'elle soit sincère ou de pure politesse. On finit par le savoir en tenant prête une liste des choses à faire et en la proposant aux personnes qui s'offrent à vous aider.

L'un des services les plus agréables et les plus utiles que l'on nous a rendus les deux fois où nous avons ramené un bébé à la maison a été l'aide apportée par un groupe d'amis qui s'étaient entendus pour nous fournir, à tour de rôle, nos repas pendant plus d'une semaine. Ne pas avoir à faire des courses ou à cuisiner nous a permis de passer plus de temps ensemble et de prendre du repos. Réciproquement, lorsque nos amis ont eu leurs enfants, c'est nous qui leur avons apporté lasagnes aux épinards et bouteilles de vin.

qu'habituellement les choses se passent. Pour l'organisme féminin, l'accouchement constitue une commotion importante. Contrairement à l'opinion populaire, la période de rétablissement après un accouchement naturel n'est pas nécessairement plus courte qu'après une césarienne. En réalité, ma femme qui a accouché de l'une et l'autre façon prétend que le rétablissement après la césarienne fut beaucoup plus facile qu'après l'accouchement naturel.

D'une manière comme d'une autre, il lui faudra du temps, et probablement plus que vous ne le pensez, pour récupérer complètement ses forces. Selon une étude récente, plus de quarante pour cent des femmes souffrent de fatigue et ont les seins douloureux pendant tout le mois

Et les belles-mères ?

Méfiez-vous des personnes qui proposent de s'installer chez vous pour s'occuper du nouveau-né, méfiez-vous surtout des parents (des vôtres comme des siens). Les grands-parents ont parfois des vues plus traditionnelles que vous sur les soins à donner aux enfants et ils peuvent, en particulier, ne pas voir d'un bon œil votre implication personnelle en ce domaine. Ils pourraient aussi avoir des idées très différentes sur la façon de nourrir, vêtir, porter, transporter, amuser ou consoler le bébé. Si vous devez vraiment héberger quelqu'un chez vous dans le but de vous aider, faites-lui comprendre que votre femme et vous êtes les parents et qu'en définitive, c'est vous qui prenez les décisions.

qui suit l'accouchement. De plus, au cours de ce même mois, un vagin douloureux, des hémorroïdes, le manque d'appétit, la constipation, une transpiration abondante, des éruptions d'acné, des fourmillements et de l'engourdissement dans les mains, des vertiges et des bouffées de chaleur sont des symptômes courants. Et de dix à quarante pour cent des accouchées de fraîche date se plaignent de rapports sexuels douloureux, souffrent d'infections respiratoires ou perdent leurs cheveux pendant trois à six mois.

Voici quelques recommandations destinées à faciliter le rétablissement de votre compagne et à entamer avec succès votre rôle de nouveau père.

- Aidez votre compagne à résister à l'envie d'en faire trop, trop tôt.

- Prenez en charge les soins du ménage ou cherchez de l'aide. Si la maison est sens dessus dessous, ne vous en accusez pas mutuellement.
- Soyez accommodant. Espérer reprendre votre rythme de vie habituel est totalement irréaliste, surtout pendant les six premières semaines.
- Ne subordonnez pas uniquement vos relations aux besoins du nouveau-né. Avec l'accord de votre compagne, réservez-vous un petit rendez-vous amoureux avec elle et laissez le bébé sous la surveillance de parents ou d'amis.
- Soyez patient vis-à-vis de votre compagne, du bébé mais aussi de vous-même. Vous êtes tous des néophytes dans cette aventure.
- Restez sensible aux émotions de votre compagne. Son rétablissement a un côté émotionnel tout autant que physique.
- Songez à passer quelque temps seul avec le bébé. Vous pouvez, par exemple, y consacrer le temps de repos de sa mère ou tout simplement le temps d'une promenade.
- Limitez le nombre et la durée des visites. Recevoir des visiteurs réclame plus d'énergie que vous ne croyez. En outre, être cajolé, mignoté et passé de main en main n'est pas particulièrement agréable pour le bébé. Pensez aussi, pendant le premier mois, à demander à tout visiteur qui voudrait toucher le bébé de se laver les mains auparavant.
- Gardez votre sens de l'humour.

Problèmes immédiats... effets à long terme

LE SEIN OU LE BIBERON

À l'époque où les lecteurs de ce livre sont nés, l'allaitement maternel était passé de mode et la plupart des femmes de l'âge de nos mères ont été assaillies par le corps médical de mille raisons et conseils dénigrant l'allaitement maternel. En revanche, dans les années 1990, il aurait été difficile de trouver quelqu'un qui ne prônât pas l'allaitement au sein maternel. Même dans la communauté médicale, l'accord semble être général aujourd'hui sur l'idée que l'allaitement maternel est probablement la meilleure solution pour le bébé.

Si votre compagne et vous n'avez pas encore choisi cette voie, ces quelques raisons pourraient vous convaincre :

CONCERNANT LE BÉBÉ

- Le lait maternel fournit exactement au nourrisson les quantités requises d'éléments nutritifs. En outre, ce lait contient certains acides gras essentiels qui ne se trouvent pas dans le lait maternisé.
- Le lait maternel s'adapte comme par magie à l'évolution des besoins nutritionnels du bébé. Ni l'une ni l'autre de nos filles n'ont eu la moindre gorgée d'autre chose que de lait maternel pendant les sept ou huit mois qui ont précédé leur sevrage et elles sont, l'une et l'autre, incroyablement vivantes.
- Le lait maternel réduit fortement les risques d'allergies alimentaires. Si d'un côté ou de l'autre, dans la famille, on souffre de telles allergies, évitez de donner au bébé de la nourriture solide avant l'âge de six mois.
- Les bébés nourris au lait maternel ont moins tendance à l'obésité lorsqu'ils sont adultes. Cela pourrait être

attribué au fait que, nourri au sein, le bébé seul et non sa mère met fin à la tétée.

- Les bébés nourris au sein sont beaucoup moins sujets aux maladies respiratoires et gastro-intestinales.
- Le lait maternel transmettrait à l'enfant l'immunité maternelle à certaines maladies.

CONCERNANT LA MÈRE

- L'allaitement au sein est pratique : aucune préparation, rien à réchauffer, ni biberons ni vaisselle à nettoyer...
- Il est gratuit tandis que le lait artificiel pour bébés coûte très cher.
- L'allaitement au sein est pour votre compagne une merveilleuse occasion d'établir des liens intimes avec l'enfant. En outre, il aide l'utérus à reprendre sa forme

Remarque à propos des jus

Si votre compagne et vous choisissez de ne pas nourrir le bébé au sein, ou décidez de compléter la tétée par un biberon supplémentaire, ne donnez surtout pas de jus. Une étude récente a révélé que les bébés qui prennent de grandes quantités de jus, en particulier de jus de pommes, souffrent de fréquentes diarrhées et pourraient même cesser de se développer normalement. Comme les bébés adorent le jus, si vous leur en donnez à volonté, ils en rempliront leur petit estomac et ne laisseront aucune place pour la nourriture dont ils ont besoin. L'American Dietetic Association recommande aux parents de ne pas donner de jus avant que le bébé n'ait six mois et d'en restreindre, jusqu'à l'âge de deux ans, la quantité mise à sa disposition.

L'allaitement au sein

Aussi naturel que soit l'allaitement au sein, tant votre compagne que le bébé auront besoin de quelques jours à une semaine ou deux pour s'y habituer. Le bébé ne trouvera pas immédiatement la façon de tenir correctement le mamelon en bouche et votre compagne, encore inexpérimentée, ne saura pas non plus comment s'y prendre. Cette période initiale, pendant laquelle les aréoles se crevassent et saignent fréquemment, peut être pénible pour la maman. Puisque le bébé prend six ou sept tétées par jour, il pourrait s'écouler deux semaines avant que les bouts des seins de sa mère ne soient suffisamment endurcis.

Il est étonnant que la mère ne commence à produire de lait véritable qu'entre deux et cinq jours après l'accouchement. Que cela ne vous inquiète pas : les nouveau-nés ne se nourrissent pas beaucoup pendant les premières vingt-quatre ou quarante-huit heures de la vie et leurs mouvements de succion ne sont, au début, que des exercices de mise en train. Pendant les premiers jours, le peu de nourriture dont le bébé a besoin est suffisamment comblé par la petite quantité de colostrum produit à ce moment par les seins de la mère. Ce liquide est une sorte de précurseur du lait qui aide le système digestif immature du bébé à se préparer à digérer, un peu plus tard, le lait proprement dit.

Dans l'ensemble, les premières semaines d'allaitement au sein seront parfois très fatigantes pour votre compagne. Même s'il en est ainsi, ne vous laissez pas tenter par l'idée de lui suggérer l'allaitement au biberon. Au contraire, dites-lui votre admiration, apportez-lui quelque chose à grignoter pendant qu'elle nourrit le bébé et encouragez-la à poursuivre en ce sens.

normale et pourrait aussi réduire les risques de cancer ovarien ou des seins.

- La table est toujours servie, généralement à volonté, et il n'y a aucun gaspillage.
- Les langes du bébé ne sentiront pas mauvais. Les bébés nourris au sein ont des selles moins malodorantes que celles qui proviennent d'autres sources alimentaires.

DISPOSITIONS POUR LA NUIT

Le pédiatre dira probablement qu'il est préférable d'habituer le bébé à dormir seul aussi tôt que possible après la naissance. La raison en est que, dans nos pays, la culture met en vedette l'indépendance précoce, si bien que les bébés doivent s'accoutumer très tôt à être séparés de leurs parents, spécialement lorsque ces derniers travaillent tous deux à l'extérieur et que les enfants sont confiés à une garderie.

Une autre école de pensée soutient que les bébés doivent dormir dans le même lit que leurs parents (cette idée est partagée par environ quatre-vingts pour cent de la population mondiale). La logique qui sous-tend cette thèse prône que l'évolution humaine ne peut simplement pas suivre les nouvelles exigences que notre culture impose à nos enfants. « La proximité des sons, des odeurs, de la chaleur et des mouvements au cours de la nuit est précisément ce que le système immature des enfants espère et recherche »

Au cas où vous laisseriez le bébé dormir avec vous

Ne partagez votre lit avec le bébé que si votre compagne et vous-même le souhaitez et non parce que vous croyez qu'il faut le faire. Vous n'êtes pas des parents négligents ou trop permissifs, alors ne soyez pas gênés de votre décision. Rappelez-vous pourtant ceci : jamais de matelas d'eau, le bébé pourrait rouler entre vous et le matelas. De même, un matelas ou des oreillers trop mous risquent d'étouffer l'enfant.

• • • • • • • • • • • • • • • • • •

Si dormir avec le bébé ne vous plaît pas...

Ne vous sentez pas coupable de penser ainsi. Vous n'êtes ni un mauvais père ni un père égoïste si vous n'êtes pas d'accord de partager votre lit. Apprendre aux enfants à être indépendants ne signifie pas que vous n'avez pas de liens étroits avec eux. Mais ne considérez pas comme une faiblesse le fait d'admettre une exception de temps en temps, par exemple lorsque l'enfant est malade ou a été effrayé par quelque chose.

dit en substance James McKenna, anthropologue et spécialiste du sommeil.

Quelle serait alors la bonne approche ? Étant donné la grande divergence d'opinion des spécialistes, la question est difficile à trancher et il vous appartient de tirer vos propres conclusions. Notre fille aînée a dormi dans son berceau près de notre lit pendant un mois environ puis a été installée dans sa propre chambre, Notre cadette, quant à elle, est demeurée dans notre lit pendant six mois avant d'être transférée dans sa chambre. Ni l'une ni l'autre n'ont connu de difficulté lors de la transition et n'ont eu de problèmes d'insomnie par la suite.

Voici quelques questions les plus courantes que vous pourriez vous poser si vous n'avez pas encore pris de décision au sujet de l'endroit où dormira votre bébé.

- **Comment cela affectera-t-il l'indépendance du bébé ?**

  Il n'y a pas d'accord unanime sur la réponse à donner à cette question. Richard Ferber soutient que dormir seul est une importante part de l'apprentissage, pour un enfant, à se séparer sans anxiété de ses parents et à se considérer comme un individu indépendant. En revanche, le Dr Thomas F. Anders, professeur de psychiatrie, est d'avis que tout enfant naît avec un besoin important de contacts physiques étroits et que l'enfant chez qui ce besoin n'a pas été satisfait tôt dans la vie pourrait chercher à le combler plus tard.

- **Qu'en est-il au sujet de la sécurité ?**

  La plupart des adultes, même endormis, ont un sens très développé de l'endroit où ils se trouvent. Après tout, quand êtes-vous tombé la dernière fois du lit ? Le risque d'étouffer votre bébé est donc très faible.

- **Comment dormira le bébé ?**

  En dépit de ce que vous pourriez penser, les enfants qui dorment avec les parents ont un sommeil moins profond que lorsqu'ils sont seuls (le mouvement des couvertures ou les parents qui se retournent peuvent les réveiller). Cependant, un sommeil léger n'est pas nécessairement un sommeil de piètre qualité. Il semble même y avoir une corrélation entre un sommeil léger et une fréquence moindre du syndrome de la mort subite du nourrisson.

Réveils en pleine nuit

Si le bébé a faim au milieu de la nuit et si votre compagne le nourrit au sein, il vous est loisible de rester au lit tandis qu'elle règle le problème. Je sais bien, cela ne paraît pas très élégant, mais réellement, vous ne pouvez vraiment pas être très utile dans ces circonstances. Le fait de dormir pendant cet intermède à deux heures du matin bénéficiera en fin de compte à votre compagne. Lorsque j'avais eu une nuit complète de repos, j'étais parfaitement dispos dès sept heures pour assurer la corvée du matin et laisser ma femme jouir de quelques heures précieuses de plus au lit.

Cependant, si le bébé est nourri au biberon (soit au lait artificiel, soit au lait maternel prélevé au tire-lait), il serait normal que vous participiez à la corvée biberon. Dans ce cas, pourquoi ne pas instaurer un système selon lequel celui qui se charge du biberon de la nuit peut paresser le matin et bénéficie d'un petit déjeuner au lit.

Il se peut aussi que bébé s'éveille vers deux ou trois heures du matin sans autre raison que de rester éveillé pendant quelque temps et examiner ce qui se passe autour de lui. En ce cas, partagez-vous ce temps de veille ou restez éveillés tous deux et regardez une émission de télé. Si vous avez manqué l'un ou l'autre programme dans votre jeunesse, vous aurez peut-être l'occasion de le trouver reprogrammé à trois heures du matin. Grâce aux réveils nocturnes de notre aînée, ma femme et moi avons eu la chance de revoir ainsi « David Cassidy, Ten Detective ».

Partager le lit avec l'enfant n'affecte pas seulement ce dernier, mais peut aussi avoir des conséquences sur vous. Vous devrez refréner beaucoup de vos élans sexuels et sans doute aussi perdre une partie de votre repos. Même les meilleurs dormeurs parmi les enfants se réveillent toutes les trois ou quatre heures ; soixante-dix pour cent d'entre eux ouvrent simplement les yeux pendant quelques minutes pour replonger ensuite dans le sommeil, mais si votre bébé fait partie des trente pour cent qui restent, il peut s'éveiller, vous apercevoir et vouloir se mettre à jouer.

LA VIE SEXUELLE APRÈS L'ACCOUCHEMENT

La plupart des médecins conseillent à leurs patientes de s'abstenir de relations sexuelles pendant six semaines au moins après la naissance. Mais avant de marquer d'un point rouge cette date sur le calendrier, sachez que la règle des six semaines n'est qu'une indication approximative. La reprise des relations dépend réellement de l'état du col de l'utérus et du vagin et, plus important encore, de l'état dans lequel vous vous trouvez l'un et l'autre. Il n'est pas rare pour certains couples d'attendre jusqu'à six mois avant de reprendre pleinement leur vie sexuelle d'avant la grossesse. Beaucoup de facteurs jouent en ce cas. En voici quelques-uns :

• Lorsque vous faisiez l'amour avant la grossesse, votre compagne représentait la femme que vous aimiez. Désormais, elle est femme et mère, idée qui rappelle à beaucoup d'hommes leur propre mère et qui peut constituer pour eux un réel obstacle psychologique. Diverses études ont montré que beaucoup de femmes ont aussi certaines difficultés à concilier le rôle de mère et celui d'épouse, et peuvent se considérer comme dépourvues de sexe, en quelque sorte.

- Selon le Dr Shapiro, certains hommes éprouvent une réticence de nature émotive à pénétrer le corps de leur femme par l'orifice d'où est sorti leur enfant. En ce qui me concerne, bien que je ne puisse pas dire que la vue de ma fille en train de glisser hors du vagin de ma femme a été particulièrement érotique, il m'a toujours semblé qu'il était assez émoustillant de voir ma femme en train de nourrir nos enfants.
- Dans les premières semaines suivant la naissance, votre compagne peut s'attacher davantage au bébé qu'à vous.
- Il se pourrait que vous soyez jaloux du bébé et du rapport très intime qu'il a avec sa mère.
- Il se pourrait que vous vous sentiez singulièrement excité par cette preuve concrète (le bébé) de votre virilité.

Vous avez vraisemblablement été abstinent pendant les dernières semaines de la grossesse et vous êtes impatient de renouer les liens amoureux avec votre compagne. Pourtant, la reprise de vos relations sexuelles après la naissance du bébé sera en même temps une tentative de vous redécouvrir mutuellement. Son corps aura changé et elle répondra peut-être à vos avances d'une autre manière. Elle manifestera sans doute quelque crainte à l'idée que les rapports ne la blessent, et vous pourriez craindre la même chose. Ayez du tact, suivez ses conseils et accordez-vous du temps pour vous réhabituer l'un à l'autre.

Peut-être son vagin sera-t-il plus sec qu'avant, rendant les rapports douloureux. Cela ne signifie nullement qu'elle n'est pas excitée sexuellement. Ce n'est qu'un effet normal du postpartum, à plus forte raison si elle allaite. En ce cas, servez-vous d'un lubrifiant adéquat.

LA GARDE DU BÉBÉ

De plus en plus de femmes sont occupées à plein temps hors de chez elles et on voit de moins en moins de familles traditionnelles où papa travaille et maman s'occupe de la maison et des siens. L'inverse, où maman travaille à l'extérieur et papa gère la maisonnée, est aussi presque impossible à trouver. Même si vous ou votre compagne vouliez rester à la maison, vous ne pourriez probablement pas vous le permettre. Tôt ou tard, la plupart des couples ont donc à envisager le problème de la garde des enfants.

LE GARDIENNAGE À DOMICILE

Plus d'un million quatre cent mille enfants sont gardés chez eux, le jour, par une gardienne non apparentée et quelque cinq cent mille le sont par une aide à demeure.

Le gardiennage à domicile a ceci de pratique que l'on n'a pas à se soucier de l'horaire des garderies. Par ailleurs, le bébé ne quitte pas l'environnement auquel il est habitué. Il bénéficie de plus d'une attention particulière et, si vous y veillez, le gardien ou la gardienne vous tiendra au courant de son développement. Enfin, restant chez lui, le bébé sera moins exposé à la contagion et aux maladies infantiles.

Chaque fois que ma femme et moi avons essayé de trouver un gardien ou une gardienne à domicile, l'expérience s'est révélée éprouvante. La première a été particulièrement mémorable. Outre notre crainte d'engager sans le savoir un meurtrier sanguinaire, nous avions la mort dans l'âme à l'idée que personne ne pourrait aimer ni soigner notre poupon comme nous. Pourtant, bien que rien ne puisse remplacer l'amour des parents, on trouve des personnes fiables qui peuvent faire presque aussi bien. Il suffit de les dénicher.

Les voies les plus courantes pour en trouver sont :
- les agences ;
- le bouche à oreille ;
- les annonces locales (la personne répond à votre deman-de, ou vous répondez à son offre).

Le premier stade est le contact par téléphone qui vous permet déjà d'éliminer les propositions sans intérêt, comme celles qui se limitent à une durée d'un mois, ou celle de la personne qui n'a pas de permis de conduire alors que vous avez posé cette condition. Invitez ensuite les « finalistes » à vous rencontrer, votre compagne et vous, ainsi que le bébé. Veillez à ce que le bébé et le gardien ou la gardienne passent quelques minutes ensemble et surveillez attentivement leurs réactions. Nous avons écarté plusieurs candidats qui ne montraient aucun intérêt à prendre le bébé ou à s'y intéresser. Finalement nous avons engagé une dame parce que, dès son entrée, elle a pris notre fille dans ses bras et a joué avec elle. Exigez des références et vérifiez-les (c'est ennuyeux mais indispensable). Pour chacune des références, informez-vous de la raison du départ et du degré d'appréciation accordé. N'oubliez pas de poser aux candidats les questions ci-dessous.

Quand vous aurez fixé votre choix, arrangez-vous pour que la personne entre en fonction un peu avant votre retour au travail afin de la mettre au courant de certains aspects de sa tâche et de voir comment elle se comporte.

NOTE AU SUJET D'UNE AIDE À DEMEURE

Engager une aide à demeure équivaut à faire entrer un membre supplémentaire dans la famille. Le processus de sélection est semblable à celui qui est décrit ci-dessous et la plupart des questions posées dès lors peuvent l'être aussi

Questionnaire destiné aux candidats à la garde d'enfants

- Quelle est votre expérience comme gardien ou gardienne d'enfants (y compris les enfants de votre famille proche) ?
- Quel âge avait chacun de ces enfants ?
- Parlez-nous brièvement de votre propre enfance.
- Que feriez-vous si… (donnez quelques exemples de situations où le comportement d'un enfant pourrait requérir divers types de réaction).
- Comment réagiriez-vous en cas de… (citez quelques situations critiques).
- Savez-vous ce qu'est la mort subite du nourrisson ? (Sinon, offrez-lui éventuellement un cours sur le sujet).
- Qu'aimez-vous surtout faire avec les enfants ?
- Avez-vous un permis de conduire ?
- Quelles sont vos heures disponibles ? En cas de nécessité, sur quelle flexibilité de votre horaire pouvons-nous compter ?
- Quelle est votre langue maternelle ?

Autres points à considérer

- Que demandez-vous comme rétribution ? Comme périodes de vacances ? (Vérifiez les normes auprès de personnes d'expérience.)
- Responsabilités : nourrir, baigner, langer, changer le bébé, lui lire des histoires, etc., ainsi que

> quelques tâches ménagères, s'il y en a, lorsque le bébé dort.
>
> • Connaissance de la langue française, particulièrement importante en cas d'urgence (la personne doit pouvoir décrire avec précision une situation à un médecin ou au service d'urgence).
>
> • Nationalité, éventuellement statut au Canada.
>
> Il est possible de rédiger un contrat pour la forme dans lequel vous énonceriez les responsabilités de gardiennage, simplement pour éviter tout malentendu.

dans ce cas. Après avoir fait votre choix, voyez si vous pouvez tester la nouvelle recrue à titre de non-résidente pendant quelques semaines, pour vous assurer de son comportement.

LA GARDERIE D'ENFANTS

Beaucoup de parents, même parmi ceux qui peuvent s'offrir du gardiennage à domicile, sont persuadés que les garderies d'enfants sont une meilleure solution. D'une part, une bonne garderie de jour est, en règle générale, mieux équipée que votre demeure et offre à votre enfant un vaste choix d'activités stimulantes. En plus, la garderie lui permet de jouer avec d'autres enfants; de l'avis de beaucoup de spécialistes, l'enfant développe ainsi son sens social et sa faculté d'indépendance. Il y a pourtant un revers à la médaille : le contact avec d'autres enfants entraîne aussi l'augmentation du risque de contamination. Les enfants placés en garderie sont beaucoup plus souvent malades que les enfants gardés à la maison.

À quoi il faut veiller
en matière de garderies d'enfants

- Niveau de formation du personnel. Certains ont une formation adéquate, d'autres pourraient n'avoir aucune formation particulière.

- Sécurité : fenêtres, clôtures, accès aux installations, jeux extérieurs, ustensiles et mobilier de cuisine (couteaux, fours, réchauds, produits chimiques, etc.).

- L'institution est-elle dûment agréée ?

- Quel est l'état général de propreté ?

- Combien d'enfants sont confiés à chaque gardien ? (En Californie, chaque gardien diplômé peut garder au maximum quatre enfants. À mon sens, plus de deux, c'est déjà trop.)

- Qualité, état et nombre de jouets.

- Mesures de précaution : quelles sont les dispositions prises pour s'assurer de l'identité des personnes qui viennent rechercher les enfants ? Des étrangers peuvent-ils avoir accès à la garderie ?

Avant de fixer votre choix, faites une visite à l'établissement visé. Passez-y une demi-heure, alors que tous les enfants sont présents, et observez-les. Ont-ils l'air heureux ? Se livrent-ils aux activités que vous souhaitiez ?

Enfin, après avoir choisi le meilleur établissement, faites-y quelques visites impromptues au cours des semaines qui suivent afin de voir comment les choses se passent en l'absence de témoins.

LES PLEURS

Ne nous faisons aucune illusion, les bébés pleurent. Quatre-vingts ou quatre-vingt-dix pour cent des bébés ont des crises de larmes qui peuvent durer jusqu'à une heure chaque jour. Rien de tel qu'un bébé en pleurs pour donner au plus aguerri des parents l'impression d'être totalement inopérant.

Je crois que les pères ressentent plus amèrement ce sentiment d'impuissance que leurs compagnes. Est-ce parce que la plupart ont été imprégnés de l'idée qu'ils sont moins aptes à soigner les enfants que la confiance leur manque parfois dans ce domaine ?

Lorsque votre enfant commence à pleurer, résistez à l'envie de le passer à votre compagne. Elle n'en connaît pas plus que vous (ou que ce que vous en connaîtrez dans quelques minutes) au sujet des enfants qui pleurent. Voici quelques trucs qui peuvent vous servir à réduire la durée des pleurs.

- **Notez le type de nourriture que votre compagne prend pendant la période d'allaitement.** Après une horrible et angoissante soirée de pleurs inexplicables de notre fille habituellement de bonne humeur et un appel au secours lancé au médecin, nous avons découvert que les brocolis que ma femme avait pris au dîner étaient à l'origine des pleurs du bébé.
- **Sachez deviner ce que ressent votre bébé.** Aussitôt après la naissance, il mettra au point différentes façons d'exprimer « je suis fatigué » ou « j'ai faim » ou « changez-moi » ou « j'en ai marre de ce siège d'auto » ou encore « je pleure parce que je veux pleurer et je ne cesserai pas quoi que vous fassiez ». Quand vous serez parvenu à décrypter ces messages, vous serez à même d'y répon-

dre de façon appropriée et donc de sauvegarder l'égalité d'humeur dans la maison. Connaître les habitudes de bébé est tout aussi important. Vous découvrirez par exemple que certains bébés aiment gigoter et pleurer un peu (ou beaucoup) à l'heure du coucher et d'autres pas.

- **Prenez souvent votre bébé dans les bras.** Certaines études montrent que plus on prend les bébés dans les bras – même s'ils ne crient pas –, moins ils pleurent.

Après avoir essayé de le calmer, l'avoir nourri, l'avoir changé, avoir vérifié si une épingle ouverte ne le piquait pas ou si un vêtement trop serré ne le gênait pas et après l'avoir bercé, il se peut que le bébé continue encore à pleurer. Parfois rien n'y fait, mais parfois une nouvelle approche suffit à résoudre la crise. En voici quelques-unes :

- **Portez le bébé d'une autre façon.** Tous les bébés n'aiment pas être orientés face à vous ; certains préfèrent être tournés vers l'extérieur pour regarder le vaste monde. L'une des façons les plus efficaces que je connaisse de calmer un bébé qui pleure, et je l'ai essayée sur beaucoup d'autres enfants que les miens, c'est d'utiliser la « position magique de Dave ». Dave, le père d'un de mes amis, s'en servait pour apaiser l'un ou l'autre de ses trois enfants. Assoyez simplement le bébé sur la paume de votre main, le pouce tourné vers l'avant, les autres doigts sous les fesses du bébé. Couchez-le ensuite, visage vers le sol, le long de votre avant-bras, la tête posée sur la saignée du bras. Servez-vous de l'autre main pour caresser et tapoter son dos.

- **Distrayez-le.** Offrez-lui un jouet, contez-lui une histoire ou chantez-lui une chansonnette. Si le bébé semble apprécier l'une ou l'autre, soyez prêt à la répéter encore et encore…

- **Donnez-lui quelque chose à sucer.** On comprend pourquoi les anglophones appellent une sucette un *pacifier*. Si vous êtes un adversaire de la sucette, encouragez le bébé à sucer son pouce, ou prêtez-lui le vôtre !

- **Donnez-lui un bain.** Pour certains bébés, l'eau tiède est calmante. D'autres entrent en transes dès qu'ils sont mouillés. Si vous décidez de baigner un enfant qui hurle, ne le faites pas seul. Soutenir dans son bain un bébé calme mais enduit de savon n'est déjà pas chose facile, mais maintenir un bébé qui crie et se débat, et savonneux de surcroît, réquisitionne un commando d'experts.

- **Achetez un porte-bébé ventral.** Beaucoup de bébés pleurnichards aiment être portés continuellement. Malgré votre endurance physique, vos bras et votre dos, eux, ne résisteront pas éternellement. Vous pourrez d'ailleurs encore utiliser le porte-bébé à d'autres fins : l'une après l'autre, mes deux filles ont voyagé pendant des centaines de kilomètres sanglées contre ma poitrine tandis que je pratiquais mon entraînement de motoneige tout-terrain. En outre, transporter un enfant de cette manière vous donne une petite idée de ce qu'a été la grossesse pour votre compagne.

- **Promenez le bébé en poussette ou en voiture.** Mais, prudence ! cela ne convient pas à tous les bébés. Toute petite, notre fille aînée s'endormait dès l'instant où elle était en poussette ou en voiture. D'autre part, la cadette a horreur de la voiture, surtout lorsqu'elle est fatiguée, et proteste davantage encore si on l'installe dans son siège-auto. Si vous n'avez pas envie de sortir, peut-être pourriez-vous placer le bébé sur un lave-linge ou un sèche-linge en fonctionnement. On trouve aussi sur le marché un appareil spécial, le *SleepTight* : fixé au berceau du bébé, il simule les vibrations et le bruit d'une voiture roulant à quatre-vingt-dix kilomètres à l'heure.

COMMENT TRAITER DES PLEURS INTARISSABLES

Si vous avez tout essayé sans succès, pour arrêter les pleurs de bébé, ces quelques idées vous aideront à survivre au martyre :

- **Se relayer.** Il n'y a aucune raison de supporter ensemble, votre compagne et vous, ce supplice que Martin Greenberg appelle « la tyrannie des pleurs ». Organiser un roulement toutes les vingt ou trente minutes apportera, à l'un comme à l'autre, un réel bien-être et prendre un peu d'exercice pendant ce temps vous calmera les nerfs avant de reprendre le tour de garde.

- **Laisser le bébé se fatiguer à pleurer.** Si la crise dure plus d'une vingtaine de minutes, essayez de le déposer dans son berceau et de le laisser crier. Si les cris ne s'arrêtent pas dix ou quinze minutes plus tard, reprenez le bébé et essayez quelque chose d'autre pendant encore une quinzaine de minutes. Répétez si nécessaire.

- **Lancer un S.O.S.** Les cris d'un enfant, même durant quelques minutes, peuvent être insupportables. S'ils se prolongent pendant des heures, il vous sera difficile de garder votre sang-froid et peut-être même de maîtriser votre exaspération. Si vous craignez de ne pouvoir vous dominer autrement que verbalement, faites appel à quelqu'un : votre compagne, le pédiatre, vos parents, la personne qui garde le bébé, des amis, des voisins, ou

Les pleurs en public

C'est une réelle épreuve pour moi que d'avoir à garder en public un enfant qui pleure. Non que j'ignore comment traiter le problème, mais je me sens gêné et me demande comment les personnes qui m'entourent vont réagir. Penseront-ils que je fais du mal à l'enfant ? Appelleront-ils la police ? S'ils le faisaient, comment prouver que le bébé est le mien ? Heureusement, personne n'a jamais appelé la police, mais les commentaires ont chaque fois été bon train, allant de « on dirait qu'il a faim » jusqu'à des réflexions nettement sexistes et blessantes comme « il ferait bien de reporter cet enfant à sa mère ! ».

Bien que mes angoisses concernant ces jérémiades paraissent un tantinet paranoïaques (bon ! d'accord, ridiculement paranoïaques), je ne suis pas le seul de mon espèce. Presque tous les pères auxquels j'en ai parlé ont connu la même détresse dans de tels cas. Mais je dois aussi admettre que la plupart des femmes à qui je me suis confié, y compris ma tendre épouse, prétendent que je fais des complexes à ce sujet.

une ligne téléphonique de secours aux parents. Si votre bébé est du type « bébé hurleur », gardez ces numéros d'appel à portée de main.

- **Ne vous croyez jamais visé personnellement.** L'enfant ne crie jamais dans le but de vous mettre à bout. Il serait facile de se laisser aller au ressentiment face à cette situation passagère, mais cela risque de dénaturer de manière permanente la façon dont vous traitez votre

Les coliques

À partir de deux semaines environ après la naissance, quelque vingt pour cent des enfants souffrent de coliques. Dans ce cas, les pleurs, contrairement aux larmes « habituelles », peuvent durer des heures, parfois même toute la journée ou toute la nuit. La durée et l'intensité de ces pleurs passent par un maximum vers l'âge de six semaines, pour disparaître normalement vers l'âge de trois mois.

Il n'y a aucun consensus sur les causes de ces coliques ni donc sur ce qu'il faut faire dans ce cas, et le pédiatre ne pourra vraisemblablement pas y faire grand-chose. Pourtant des parents sont parvenus à soulager partiellement ou totalement leur enfant souffrant de coliques en lui administrant un remède en vente libre contre la flatulence et destiné aux adultes. Prenez l'avis de votre pharmacien sur le bien-fondé de cette solution et, éventuellement, sur la posologie à suivre.

bébé. Même si votre emportement ne vous conduit pas à des excès, soutient l'auteur du livre *What to Expect the First Year*, il pourrait détériorer vos relations avec le bébé et la confiance en vos qualités de père si vous ne recourez pas rapidement à une aide extérieure.

JOUEZ AVEC VOTRE BÉBÉ

Jouer avec l'enfant est essentiel. C'est en jouant que les enfants apprennent presque tout ce qu'ils doivent savoir. En outre, c'est amusant pour vous. Des chercheurs ont découvert que les enfants avec qui l'on joue souvent sont portés à développer leurs facultés d'attention et d'interaction, qualités qu'ils conserveront toute la vie.

Généralement, les hommes et les femmes ont, avec l'enfant, des comportements différents. Les hommes mettent plutôt l'accent sur les qualités physiques et l'adresse au jeu, les femmes mettant en exergue les aspects relationnels et émotionnels. Dans les échanges entre parents et enfants, ni l'un ni l'autre de ces comportements n'a la préséance et les deux sont indispensables à l'enfant. Les comparer ou les coter l'un par rapport à l'autre n'aurait aucun sens.

Divers spécialistes ont mené des études approfondies au sujet de l'influence des jeux corporels sur l'enfant et sont arrivés à des conclusions intéressantes. Ross Parke, par exemple, affirme que les filles qui s'exercent à de tels jeux gagnent en assurance dans leurs relations avec leurs pairs, plus tard dans la vie. C'est une découverte particulièrement importante aux yeux de ceux qui s'inquiètent des dernières enquêtes à propos de nos filles qui seraient défavorisées par l'éducation parce qu'elles ne s'expriment pas en classe aussi souvent que les garçons.

En général, les enfants adorent les jeux corporels, et après quelques jours, ils savent déjà lequel de leurs deux parents jouera de telle manière avec eux et ils réagissent en conséquence. En cette matière, voici quelques points importants à prendre en considération :

- **Usez de modération.** Quoi qu'il soit parfaitement normal de jouer avec des enfants âgés d'à peine quelques jours, limitez chacune des séances à quelques minutes seulement. De trop longues périodes de jeu pourraient rendre l'enfant capricieux ou irritable.
- **Prenez l'avis du bébé.** S'il crie ou manifeste qu'il en a assez, cessez.

Remarques sur l'habillement de Bébé

Vêtir un bébé n'est pas une tâche simple : la tête paraît toujours trop grosse pour l'encolure de la chemisette et les mains refusent généralement de sortir par les manches. On trouvera ci-dessous l'un ou l'autre truc qui facilitera les séances d'habillement.

- Par la manche retroussée, prenez la main du bébé et tirez-la vers vous, c'est beaucoup plus facile que d'essayer de la pousser par l'autre côté.

- On trouve dans le commerce des vêtements pour bébés absolument ravissants, mais très peu pratiques. Achetez des culottes ou des salopettes dont les jambes s'ouvrent par une rangée de pressions. Ce système permet de changer très facilement les langes de Bébé sans devoir déshabiller celui-ci.

Ne surchargez pas Bébé de vêtements. Pour des raisons inconnues, certains parents ont l'habitude d'emmitoufler leurs enfants dans de multiples couvertures, chandails, bonnets et moufles, même en été. Sauf si vous êtes un Inuit, il n'y a aucune raison d'habiller votre enfant comme l'un d'eux. En règle générale, vous devriez faire porter à votre enfant le même genre de vêtements que les vôtres, plus un bonnet. Habiller le bébé de plusieurs couches de vêtements légers permet de les ôter l'une après l'autre si nécessaire.

Enfin, rappelez-vous cette simple remarque : « Tant qu'ils ne savent pas marcher, ils n'ont pas besoin de chaussures. » En acheter serait d'abord un gaspillage et, de plus, vous risqueriez de déformer les pieds du bébé en enfermant ceux-ci dans des chaussures trop rigides.

- **Programmez vos amusements.** La meilleure période pour les jeux corporels est lorsque l'enfant est en état de veille active ; par ailleurs, manipuler des jouets ou regarder des livres est parfait pendant l'état de veille tranquille (voir la page 228). Choisissez aussi un moment où vous pouvez consacrer toute votre attention au bébé, sans appels téléphoniques intempestifs ni autres distractions. Enfin, ne jouez pas trop brusquement avec lui après qu'il a mangé. Croyez-moi, je l'ai appris à mes dépens !

- **Installez-vous confortablement.** Mettez-vous au niveau du bébé, de préférence sur le dos ou le ventre, sur le sol ou sur le lit.

- **Soyez patient.** Comme on l'a souligné plus haut, votre bébé n'est pas un phoque savant. N'espérez pas trop de lui, trop tôt.

- **Encouragez le bébé.** Utilisez toutes les expressions possibles, faciales et verbales, sourires et rires. Bien que le bébé ne puisse comprendre les mots, il perçoit certainement les sentiments. Même âgé de quelques jours, il aimera vous faire plaisir et vos encouragements développeront sa confiance en lui.

- **Portez-le avec douceur.** Comme la tête du bébé est relativement grosse (un quart de la taille du corps à la naissance, un septième à l'âge adulte) et que les muscles du cou ne sont pas encore suffisamment forts pour supporter son poids, veillez à bien la soutenir par l'arrière et ne faites pas de mouvements brusques ou saccadés.

DEUX RECOMMANDATIONS IMPORTANTES

- *Ne secouez jamais un bébé.* Un mouvement brusque pourrait ébranler le cerveau dans la boîte crânienne en provoquant des contusions ou des lésions permanentes.

- *Ne lancez jamais un bébé en l'air.* Oui, votre père s'était sans doute livré à ce jeu, mais il n'aurait pas dû le faire. Le geste paraît amusant, mais il peut aussi être extrêmement dangereux.

L'histoire de Michelle

*L'histoire de Michelle, publiée sous le couvert de l'anonymat
pour des raisons évidentes, est celle d'une jeune femme québécoise,
mère de trois enfants nés de trois pères différents.*

*Ce récit, authentique et spontané, permet de comparer le comportement très différent de trois hommes face à une grossesse qui
n'avait été planifiée dans aucun des cas.*

*Il est également intéressant de constater ici à quel point la participation aimante du père aux différentes phases de la grossesse
et de l'accouchement peut être à la fois stimulante et bénéfique
pour la mère, et rayonner sur la vie du couple.*

> *L'accouchement appartient aux femmes
> et aux hommes qu'elles aiment.*
> Isabelle Brabant, *Une naissance heureuse*,
> Éditions Saint-Martin.

Alors, m'y voilà ! Je commence mon récit.
Cela me semble assez complexe et assez long d'avoir
à raconter mes trois accouchements. Le plus difficile, c'est de recueillir le plus de détails possible, et jusqu'à
des souvenirs vieux de dix-huit ans déjà. Cette fois, je me

lance, ce sera pour moi un beau voyage. Espérons que tout sera cohérent !

Océanne

Avril 1982

Mes règles sont en retard… Je vais passer un test de grossesse à la clinique. Il est positif. «Je suis enceinte !…» Une nouvelle qui allait bouleverser ma vie, la changer radicalement. Surprise ? Heureuse. Une belle nouvelle dans ma vie. Pour moi, c'était clair, je garderai cet enfant que j'aimais déjà si fort, si profondément. Le père âgé de vingt-sept ans est surpris, mais content. J'en ai dix-neuf, presque vingt dans deux mois. Toute jeune !

Heureuse coïncidence, ma copine Lucie aussi est enceinte, de deux mois déjà. Elle a choisi d'être suivie par une sage-femme, Nadine, tant pendant sa grossesse que pendant son accouchement qu'elle désire vivre à la maison. Elle a l'air si contente de son choix que cela me pousse à faire, moi aussi, les démarches pour prendre contact avec une sage-femme.

En attendant mon premier rendez-vous avec cette dernière, j'en profite pour rencontrer un obstétricien. En effet, un médecin doit obligatoirement me suivre, car s'il y avait une complication durant l'accouchement, mon dossier serait disponible à l'hôpital. Je prends donc rendez-vous avec un obstétricien attaché à l'hôpital Molière. Je sors de cette consultation déçue par la froideur et l'accueil distant de cet homme. Je suis absolument décidée à ne pas accoucher sous sa surveillance. Quelques jours plus tard, j'ai rencontré un autre médecin, beaucoup plus humain et plus chaleureux, que j'ai revu à deux ou trois reprises au cours de ma grossesse.

Mon premier rendez-vous avec Nadine, la sage-femme, a été très satisfaisant. Elle a pris le temps de me connaître, de me parler, de me demander comment je vivais ma grossesse, quelles étaient mes attentes, mes craintes. Cette rencontre a été plus longue qu'avec les médecins, elle a duré environ une heure et demie. J'en suis sortie ravie et convaincue d'avoir pris la bonne décision : être accompagnée par une sage-femme. Si je voulais citer les qualités que j'ai découvertes chez les sages-femmes, je dirais que ce sont, entre autres, l'accueil, l'écoute, la disponibilité, le savoir-faire, le respect envers la femme enceinte et le couple, la compréhension de «l'état» de femme enceinte, c'est-à-dire de ses besoins, de ses humeurs, des stades par où elle passe, etc., enfin le soutien, le respect du «divin» dans cet acte qui est celui d'enfanter.

Même avant d'accoucher avec l'assistance d'une sage-femme, je savais, je sentais que je pouvais me fier entièrement à elles. Elles m'ont toujours inspiré une grande confiance, et elles ont su affermir la mienne à propos de ma capacité à donner la vie. Les différents stades de la grossesse étaient suivis au domicile de Nadine. Une belle grande maison accueillante et vibrante à l'angle des rues Norbert et Charlemagne. Ces rencontres se résumaient à des examens de routine tels la hauteur de l'utérus, la tension artérielle, mon poids, le cœur du bébé et, bien entendu, à donner réponse à mes questions.

Tout cela était fait avec beaucoup de professionnalisme et de sérieux.

J'ai suivi également des cours prénatals avec Nadine. J'ai beaucoup aimé ces cours. Très intéressants et fort complets. De la théorie, du concret, de l'humour, des échanges... Un détail particulier : ces cours étaient donnés pour celles et ceux qui allaient vivre une naissance à la maison.

Le fait que je me sois résolue à accoucher chez moi a fait jaser dans ma famille. C'était de ma part comme une fantaisie, voire un caprice. Un geste irréfléchi. Pour moi, c'était tout à fait le contraire. C'était la façon de pouvoir vivre mon accouchement d'une manière naturelle, d'être entièrement présente et lucide face à l'événement. Une façon de glorifier l'acte de donner la vie ! Quel acte grandiose !

Ce que j'ai vu sur vidéo ou entendu raconter par d'autres sur les accouchements à l'hôpital m'ont beaucoup refroidie. Pour moi, c'était un milieu austère, « inhospitalier », axé davantage sur les interventions rapides et pas toujours nécessaires. Considérant presque l'accouchement comme une maladie ! Non, décidément, le milieu que je voulais pour mon accouchement n'était pas l'hôpital, mais bien mon chez-moi.

Avec l'aide des sages-femmes, je pourrai vivre mon accouchement à mon rythme, à mon goût, avec même une dimension humaine et spirituelle. Ma grossesse s'est très bien déroulée. J'étais très en forme, très active !

Le soir du 7 janvier 1983, vers dix-neuf heures, de petites contractions se font ressentir. Wow ! Serait-ce aujourd'hui le grand jour ? Jusqu'à vingt-trois heures, elles sont faibles et irrégulières, elles finissent même par cesser. Je peux dormir ma nuit paisiblement. Au matin, les contractions reviennent doucement et c'est vers treize heures que j'appelle la sage-femme pour lui dire que le travail a bel et bien commencé. Elle me questionne sur la durée et la fréquence des contractions. Elle me dit que si je suis en compagnie de quelqu'un et que tout se passe normalement, elle attendra un peu avant de venir. Je suis d'accord. Mon amie Lucie arrivera très vite. Je suis calme et en paix bien que je sois désormais seule depuis le huitième mois de ma grossesse. Donc c'est entre filles, entre femmes, que je vivrai cet accouchement.

La sage-femme arrive vers seize heures, accompagnée d'une consœur. Elles sont toujours deux lors d'un accouchement et elles s'adjoignent en outre une assistante. Je suis bien entourée !

Les contractions se rapprochent et s'intensifient. Moi qui avais hâte de savoir ce qu'étaient les contractions, à présent je ne veux plus rien savoir ! Qu'elles s'en aillent ! J'ai trop mal. Je crie, je pleure, j'ai peur de ce mal inconnu et qui me terrorise. Nadine, la belle, la forte, vient me parler, me rassurer, me confirmer que tout se passe comme il le faut. Moi, je lui dis que je veux aller à l'hôpital, que c'est trop dur. La sage-femme me répond que, si je vais à l'hôpital et si je crie aussi fort, ils vont me donner des calmants. Ces mots me convainquent : je ne veux plus y aller. Je me suis ressaisie. Nadine a eu les mots justes.

Le temps passe. Il est onze heures du soir et jusqu'à une heure du matin, les contractions vont se suivre toutes les cinq minutes. On me conduit à ma chambre, car depuis quelque temps, nous nous tenions au salon. Les contractions s'intensifient et se succèdent de plus en plus rapidement. Je suis prise de panique face à cette souffrance, ne sachant trop comment la vivre, la libérer. Je crie.

Nadine écoute le cœur du bébé, il bat moins vite, elle décide de me donner de l'oxygène pour aider le bébé à reprendre son rythme cardiaque. Ça réussit, le bébé va mieux. Je suis arrivée à l'étape des poussées. Même si Océanne ne pesait que 2,350 kg, j'éprouve des difficultés à donner des poussées efficaces. Nadine me suggère de me lever pour aider le bébé à descendre. Effectivement, cette position m'aide beaucoup puisque quelques minutes plus tard, Océanne naît. C'est extraordinaire ! c'est mon bébé, ma fille tant attendue et souhaitée.

Est-ce moi qui ai fait ça ? Un miracle ! C'est un petit être parfaitement réussi. Je me sens dépassée par ce qui m'arrive, je ne le réalise pas encore. Tout le reste se passe bien. Aucune hémorragie, aucune déchirure. Il m'est très facile de me lever et de marcher. Le bonheur quoi !

Les sages-femmes me quittent peu après trois heures du matin. Lucie veillera sur moi pendant le reste de la nuit et une autre copine prendra la relève demain. Tout est calme dans la maison. Je suis seule dans ma chambre avec le bébé, tout ensommeillée après ce que je viens de vivre.

Comme c'est bon de prendre le temps d'établir le contact avec Océanne ! La sage-femme est revenue le lendemain pour les examens de routine. Examen de la maman et du bébé. Elle est revenue les troisième et cinquième jours également. Elle était entièrement à ma disposition si j'avais la moindre inquiétude. Même si j'étais quelque peu dépassée par l'événement (aujourd'hui, je le vois comme ça), les jours qui ont suivi cette naissance ont été les plus beaux de ma vie ! Même si je demeurais seule avec ma fille, j'ai été heureuse de ces moments. J'ai vraiment apprécié cette intimité dont je jouissais avec elle. Aujourd'hui, après dix-sept ans et demi, après des moments merveilleux et d'autres plus douloureux, je remercie encore Dieu, la VIE, de m'avoir donné Océanne comme fille. Je l'aime, cette enfant, c'est très fort et très profond. Je me sens particulièrement choyée d'être sa mère. C'est un cadeau de la vie !

Guillaume

Octobre 1986

Une autre heureuse nouvelle ! Je suis enceinte. Je m'y atten-dais. J'ai attendu et désiré cet enfant. Une grande nouvelle, mais en revanche pas de surprise.

Mon choix en ce qui concerne les étapes de ma grossesse et de mon accouchement est très clair, évident même. Aucun autre choix possible, je vais accoucher avec une sage-femme. Cette fois-ci, ce sera avec une équipe de Gorden. J'y vis depuis deux ans et je suis avec le papa depuis un an et demi. Nous sommes contents de la nouvelle.

Océanne aura quatre ans et demi à la naissance de son frère.

Je me renseigne pour savoir qui fait des accouchements à domicile. J'ai choisi Élisabeth et la première prise de contact se fait chez nous. Quelle femme ! Elle dégage tant de force ! Elle m'impressionne par sa chevelure rousse, sa stature. Grande et bien en chair.

Nous parlons de notre décision de donner naissance chez nous et de la motivation qui la sous-tend. Des réalités de l'accouchement à domicile. Du suivi prénatal, etc. Des coûts liés au suivi et à l'accouchement. Un coût qui s'élevait entre 350 et 400 $ en 1987.

Les rencontres prénatales ont lieu au bureau d'Élisabeth, à l'angle des rues de Tonnancourt et Colbert. Des rencon-tres d'une heure, qui ressemblent par leur contenu à celles que j'avais eues avec Nadine. Le médecin qui me suit pour la grossesse, parallèlement à la sage-femme, est le Dr Jean Gemine, très favorable à l'idée de collaborer avec les sages-femmes. C'est formidable ! Il est vraiment super, ce méde-cin. Doux et rassurant. C'est bon à savoir.

Je m'inscris avec Pierre (le papa) aux cours prénatals donnés par Élisabeth. Encore une fois, ces cours s'adressent à des couples ou à des mamans qui ont décidé de mettre leur bébé au monde à la maison. Ce sont des heures très captivantes, des heures indispensables pour se préparer à la naissance du bébé en toute connaissance de cause.

24 mai 1987

Cinq heures trente du matin. Je réveille mon *chum*, car j'ai commencé à perdre les eaux. Il téléphone à Élisabeth, la met au courant. Mes contractions sont faibles, mais rapprochées tout de même.

Je suis nerveuse. Les contractions deviennent vite plus intenses. Océanne se réveille, je lui explique ce qui arrive. Elle partira chez une copine pendant la durée de mon accouchement. C'était entendu ainsi. C'est encore une bambine, je ne voulais pas la traumatiser si toutefois l'accouchement se révélait plus compliqué que prévu.

Colette, la sage-femme, arrive vers six heures du matin, avant Élisabeth. Elle m'examine, m'affirme que tout est bien, que tout se déroule comme prévu. Le col de l'utérus est déjà dilaté à 7 cm. Mais elle ne me le dira que plus tard pour ne pas trop m'énerver, je crois. Je suis dans une phase très intense, j'ai peur de la douleur, je lui dis même que je veux aller à l'hôpital. Que je n'y arriverai pas toute seule.

Colette me regarde et dit : « Michelle, en ce moment sur la planète, il y a comme toi des millions d'autres femmes qui sont en train d'accoucher. Tu es liée à elles ! Et, comme toi, elles sont capables de le faire. »

À ce moment, il se produit un déclic ! Paroles magiques, merveilleuses ! Tout s'est illuminé ! Sur-le-champ, je reprends confiance en moi, en mon pouvoir de donner la vie. Même si ça fait mal. Merci, Colette, de m'avoir donné cette force. Tes paroles, je ne les oublierai jamais. Elles m'ont guidée dans mon accouchement.

J'ai maintenant envie de pousser. Élisabeth arrive à sept heures trente. Je suis contente. Une poussée ou deux, et voilà Guillaume qui arrive au monde à huit heures deux du matin. Cet accouchement a duré à peine deux heures trente. Mais quelles heures intenses! Cet accouchement se résume pour moi à une puissante envie de «pousser».

Cette fois aussi, tout se passe bien pour les suites de l'accouchement. Aucune complication. Élisabeth et Colette, à tour de rôle, font leurs visites postnatales chez nous vingt-quatre heures après l'accouchement, puis les troisième et cinquième jours. Je n'ai pas parlé de la participation du papa à l'accouchement. Elle a été extraordinaire. Très active. Il était présent à cent pour cent. Il respirait avec moi, me secondait d'une façon extraordinaire! C'est toute une différence d'être accompagnée cette fois-ci par le père.

Je garde un souvenir de mes deux accouchements à la maison comme des événements forts de ma vie. Une chance qui m'a été donnée de me découvrir et de comprendre à quel point la «vie» est belle et forte! De constater à quel point je suis forte aussi! Je suis heureuse d'avoir pu donner naissance dans mon chez-moi, dans mon intimité, avec des femmes sages, de belles femmes pour qui j'ai tant de respect et d'admiration, car selon moi elles pratiquent le plus beau métier du monde... et ce n'est pas donné à tous! Je le sais, je l'ai vécu.

Marc-Antoine

12 mai 1998

Par un bel après-midi de printemps, je me décide à aller passer un test de grossesse. Je pressens que je suis enceinte. J'ai aperçu dans mon regard une lumière et une profondeur différentes. Le test le confirme, je suis bel et bien enceinte. Une belle grande nouvelle. Même si cette grossesse n'était pas planifiée, elle était inconsciemment désirée, car nous étions favorables, Mathieu et moi, à la venue d'un enfant.

J'étais heureuse de sentir qu'un petit être vivait et allait grandir en moi. Me voici replongée dans la maternité après douze ans. Ouf! c'est tout un recommencement! À certains égards, le fait de mettre à nouveau un enfant au monde me fait peur et m'inquiète. À cause de la société dans laquelle nous vivons, à cause de mon âge et de celui du Papa, de notre style de relation, et pour la raison que je n'ai pas une solide carrière ni derrière ni devant moi, et tout cela me pèse. J'ai donc de la difficulté au début à accepter mon besoin, mon désir d'avoir cet enfant. Sur ce point, j'aurai à me raisonner sérieusement durant ma grossesse. Et je le ferai!

Malgré ces réticences, je suis vraiment heureuse de savoir que je suis enceinte. Je prends cela très au sérieux. Le Papa est surpris de la nouvelle et se montre heureux aussi. Ma fille de quinze ans et demi jubile. Elle trouve cela extraordinaire. Mon fils de douze ans juge spécial pour sa maman d'avoir un autre enfant. Sa réaction est plus terre-à-terre, mais il est content tout de même. Il est essentiel pour moi que mes enfants se sentent complices de la venue de cet enfant.

Je ne me sens pas prête à dévoiler le secret aux enfants de Mathieu et à la parenté. J'ai besoin d'approfondir cette nouvelle dans l'intimité. Même mes amis ne l'apprendront que plusieurs mois après le début de ma grossesse.

Cette grossesse, d'ailleurs, je la vivrai *très* intérieurement, dans une bulle. À l'abri de tout le monde ou presque. Mon côté sociable disparaît. J'ai besoin de calme et de solitude. En revanche, il ne me faut guère de temps pour prendre contact avec les sages-femmes, bien que je sache qu'elles ne font plus d'accouchements à domicile :

> *« Le gouvernement, en 1994, accède en partie aux demandes des sages-femmes et ouvre sept maisons de naissance au Québec, seuls lieux où les sages-femmes sont autorisées à pratiquer. »* (Extrait du film *Près de nous* de Sophie Bissonnette.)

Ces maisons de naissance sont des projets pilotes d'une durée de trois ans créés dans le but de légaliser la profession de sage-femme. Les sages-femmes ont signé une entente qui ne les autorise à pratiquer que dans un Centre de maternité seulement. Je dois donc faire le deuil de mon désir d'accoucher à la maison.

Je prends contact avec le Centre de maternité local. Mon premier rendez-vous est fixé au 11 juin, soit au deuxième mois de la grossesse. Ma sage-femme sera Élisabeth, qui m'a déjà aidée au moment de la naissance de Guillaume. Ça me fait chaud au cœur de la revoir douze ans plus tard !

La première rencontre dure deux heures, les suivantes une heure. Nous parlons beaucoup, lors de la première rencontre, de notre vie à tous deux, Mathieu et moi, de notre désir d'accoucher au Centre, du fonctionnement de cette institution où l'on se sent chaleureusement reçu, dans un décor agréable et enveloppant. Nous allons d'ailleurs visiter les chambres de naissance. Elles sont magnifiques et très accueillantes. Chacune porte le nom de l'un des quatre éléments. C'est aux clientes de choisir. Ma préférence va à la chambre de l'Air, mon deuxième choix sera pour celle de la Terre, ensuite celle du Feu et enfin celle de l'Eau.

Je suis contente de pouvoir mettre mon enfant au monde dans un si bel endroit. Ma grossesse est un peu plus difficile que les deux premières. J'ai des nausées, je salive beaucoup, c'est agaçant. J'ai fréquemment des maux de tête. Heureusement, à partir du troisième mois, tout cela se calme. Il ne reste que des crampes qui dureront jusqu'à la fin. Des maux de ventre comme lors des menstruations. La sage-femme me dit que c'est une invitation au repos. J'ai trente-six ans, c'est différent et plus exigeant qu'à vingt et vingt-quatre ans.

Les visites prénatales sont agréables. J'ai toujours grandhâte de m'y rendre. Leur fréquence est d'une par quatre semaines jusqu'à la vingt-huitième semaine de grossesse, ensuite une toutes les trois semaines de la vingt-huitième à la trente-quatrième semaine, une toutes les deux semaines de la trente-quatrième à la trente-sixième semaine et une toutes les semaines de la trente-sixième semaine à l'accouchement. Le rythme de travail des sages-femmes est réparti de cette manière. Elles travaillent par équipes de deux. Une semaine, Élisabeth est de garde. À ce moment, elle est disponible seulement pour les accouchements, tandis que Mathilde, l'autre sage-femme, donne des consultations, c'est-à-dire assure le suivi prénatal. Au moment de mon inscription, elles étaient au nombre de six, formant trois équipes auxquelles s'ajoutait Caroline, une sage-femme venue travailler au Centre.

Ces visites nous permettent aussi de nous ouvrir de ce que nous vivons en rapport avec la grossesse. Et de vérifier urine, poids, hauteur de l'utérus, la routine quoi ! Je note tout dans mon carnet de grossesse ainsi que dans mon journal intime.

Nous assistons aux cours prénatals à partir de la fin septembre 1998. À partir du 30 septembre pour être exacte. Nous avons eu six cours portant chacun sur un thème différent et donnés chaque fois par une sage-femme différente. Les thèmes traités portaient sur le travail (deux cours), les complications, l'allaitement, les peurs et la période postnatale.

J'ai beaucoup apprécié ces cours. Mathieu, lors d'une séance où les papas donnaient un massage au bébé à travers le ventre de la maman, a connu des moments très émouvants. Il a pleuré tant il était ému d'entrer en contact avec le bébé !

Il est important ici que je spécifie un choix qui m'est personnel : le désir de voir mes enfants assister à mon accouchement. Ils ont été d'accord tout de suite. Il était important pour moi de les rendre complices tout au long de ma grossesse et au moment de l'accouchement. Nous avons visionné également ensemble un film sur l'accouchement. Océanne est venue à un cours prénatal qui portait sur la période postnatale. Guillaume et Océanne sont venus le 8 décembre, vers la fin de ma grossesse, à une visite prénatale chez Élisabeth, pour parler avec elle de l'accouchement proche et de ce qu'ils ressentaient à cet égard. Guillaume a posé beaucoup de questions sur le déroulement d'un accouchement, sur les complications éventuelles. Élisabeth a pris le temps de répondre à ses questions et à celles d'Océanne. Nous allons visiter avec eux les chambres de naissance. Ils ont hâte d'arriver au GRAND JOUR et trouvent le Centre de maternité vraiment à leur goût.

C'est avec enthousiasme que nous retournons à la maison. Je suis contente que mes enfants s'intéressent à l'événement et s'y impliquent! Cela nous permet de nous rapprocher. Nous devons toujours avoir une feuille de garde à jour, qui nous indique l'horaire de garde des sages-femmes. Si le travail débute, nous savons qui rejoindre.

Le 3 janvier 1999

À trois heures et quart du matin, je me réveille pour aller à la salle de bain et… je perds les eaux. Ça y est! c'est pour aujourd'hui. Nerveuse et excitée, je tremble tout entière, impossible d'arrêter ce tremblement. J'attendais ce moment depuis si longtemps. Que j'avais hâte de le voir, ce bébé-là! Cette grossesse m'a semblé tellement longue.

Mathieu téléphone aussitôt à Élisabeth. Elle suggère d'attendre un peu avant de nous rendre au Centre, de surveiller l'évolution du travail et de la rappeler s'il y a des changements. À cinq heures dix, deux heures plus tard, Mathieu la rappelle. Élisabeth me parle et la première chose qu'elle me dit, c'est: «Félicitations, Michelle!». Cela me donne de l'énergie et de la force pour affronter tout ce qui va suivre et cela me fait du bien. Élisabeth a toujours les bonnes paroles au bon moment. Très efficace, intuitive et sensible.

Je suis en train de vivre un grand moment de ma vie. Je le sais et le savoure davantage qu'aux deux premiers accouchements. J'en ai conscience d'une manière plus aiguë. Je n'ai aucune crainte. J'ai même le temps de noter dans mon journal ce que je vis à ce moment-là.

Nous quittons la maison après cette conversation avec Élisabeth. Elle nous dit de la rejoindre au Centre, car mes contractions sont plus fortes et se succèdent toutes les cinq minutes. Océanne et Guillaume sont fébriles, ils sont entièrement présents. Et que dire de Mathieu ? Tout à fait attentif aux gestes qu'il fait mais, à la fois, tout énervé. Il est aux petits soins pour moi. Comme Élisabeth me le disait au cours de la grossesse : « Le jour de ton accouchement, tu seras la Reine de la journée. » Et c'est réellement ainsi que je me sens. Tout le monde prend son rôle au sérieux !

Il faut un quart d'heure en voiture pour arriver au Centre. Élisabeth est là qui nous accueille. Elle me serre dans ses bras. Je sens à ce moment le besoin d'être rassurée, Élisabeth le fait bien… Je suis en plein travail, je le sais, mais ce que j'ignore, c'est comment va se dérouler ce travail et c'est ce qui m'inquiète un peu : l'inconnu. Nous nous dirigeons vers la chambre de la Terre, mon deuxième choix. M'installer à l'aise est la seule chose qui m'importe pour le moment. Une contraction m'oblige à m'arrêter juste avant d'entrer. Bon ! la voilà terminée, et j'entre. C'est une belle chambre aux couleurs de terre : du beige, du brun. Un beau lit à baldaquin en bois. Mathieu m'aide à me changer. Je ne garde sur moi qu'un chandail court. Il range les vêtements et notre valise dans une armoire, et se met lui-même à l'aise en passant une tenue de jogging.

Les contractions s'intensifient et se rapprochent. J'ai le réflexe de m'accroupir sur le sol pour les vivre pleinement, car je ne me sens pas à l'aise sur le lit pour le moment. Élisabeth m'examine, tout se déroule bien. Le cœur du bébé bat normalement.

Je suis arrivée à cinq heures quarante-cinq. Le col de l'utérus était dilaté de six centimètres. Trois quarts d'heure plus tard, il atteint dix centimètres. Cet accouchement-ci est très rapide. Élisabeth s'affaire, sortant et entrant sans arrêt pour préparer le matériel, l'oxygène, et le petit lit de réanimation pour le bébé, si nécessaire.

J'ai oublié de mentionner que, lorsque nous sommes entrés dans la chambre de la Terre, Élisabeth a prié Océanne et Guillaume d'allumer la « chandelle de la naissance ». Ce geste est chargé de symboles. Que j'aime être entourée de sages-femmes quand j'accouche ! Elles sont extraordinaires.

Je reste accroupie pour apprivoiser ces contractions. C'est à ce moment, comme je le disais plus haut, que Élisabeth m'examine et me demande de m'installer sur le lit. Je reste sur le lit, à genoux, suspendue au cou de Mathieu qui se révèle un merveilleux soutien. Je fais des vocalises, je chante un air d'opéra à pleine gorge. Merci ! ça me libère.

Océanne et Guillaume en sont quelque peu surpris. Ils sont beaux à voir, assis droits sur leurs chaises. Ils sont étonnés, je crois, par la puissance qui émane d'un accouchement, mais pour eux, c'est bien d'être là, ils me le disent.

Les contractions se produisent toutes les cinq minutes et durent une minute. Je n'ai guère de répit. Un vrai marathon ! Je sens une poussée très forte vers le bas-ventre, comme si le bébé voulait sortir. Mon réflexe est de descendre du lit pour m'accroupir sur le plancher. Quoi ? Serait-il déjà temps de pousser ?

Élisabeth et Caroline, l'autre sage-femme présente à mon accouchement, m'invitent à rester sur le lit. Je me couche de côté, c'est de cette façon que je me sens le mieux pour pousser. C'est de cette façon que notre bébé naîtra. « Oui, bébé, viens, je t'aime… » lui dis-je mentalement. Les poussées dureront vingt-quatre minutes encore, mais pour moi, à ce moment-là, je n'ai *aucune* notion du temps. Je *suis* dans le présent. Océanne et Guillaume s'approchent du lit, m'encouragent magnifiquement à continuer de pousser. « Vas-y, Maman, c'est beau ! » Quel réconfort pour moi de les entendre !

Lorsque la tête apparaît à la vulve, ils sont émerveillés. Mon Dieu ! comme ils m'insufflent de l'énergie. Mathieu se concentre sur ce que je vis. Une belle présence tout en douceur. Cela me fait du bien et me rassure.

Marc-Antoine naît à sept heures dix, avec le lever du jour. Quelle joie de le sentir sur moi ! Je ne le regarde pas tout de suite. Je prends le temps de le sentir. C'est merveilleux de le toucher, c'est mon bébé ! Incroyable. Un vrai miracle, un petit être magnifique. Heureuse, comblée, je suis « aux p'tits oiseaux ». Je profite et je savoure ce que je suis en train de vivre, avec beaucoup plus de lucidité et d'émerveillement que lors des deux premiers accouchements.

Marc-Antoine pleure pour dégager ses bronches. Doucement, tout doucement, on m'aide à m'asseoir sur le lit. Je contemple Marc-Antoine, je ne m'en lasse pas. Mon Dieu qu'il est beau ! Je l'aime tout de suite, je le trouve merveilleux. Je vis un coup de foudre, une béatitude.

Quelques minutes plus tard, soit à sept heures vingt-trois, Mathieu coupe le cordon ombilical. Bienvenue ! bébé d'amour, sur cette Terre…

À sept heures vingt-cinq, le placenta est expulsé. Élisabeth l'examine, tout est normal. Elle me fait remarquer qu'il a la forme d'un cœur. Ce n'est pas surprenant ! Je ressens tellement d'amour pour ce bébé. Elle examine le bébé. Il pèse 3,5 kg et mesure 52 cm. C'est parfait. Elle m'examine ensuite. Aucune déchirure. Je n'en avais pas non plus lorsque Océanne et Guillaume sont nés.

On me lave, on prend soin de moi. Vers huit heures vingt-cinq, je me lève pour aller uriner, pour m'assurer que tout va bien de ce côté-là. On m'apporte ensuite un plateau de fruits et de fromages, et du jus de fruit. Succulent ! Océanne prend Marc-Antoine et se promène avec lui dans la pièce.

Vers neuf heures, après s'être assurées que tout est correct et voyant que nous voulons nous reposer, les sages-femmes quittent la chambre. Océanne et Guillaume vont au salon pour se détendre et remettre un peu d'ordre. Nous venons tous de vivre un grand moment en peu de temps. Enfin ! Je plane, je me sens euphorique. Je ne parviens pas à fermer l'œil. Je regarde Marc-Antoine couché entre son papa et moi. Le Papa, lui, s'est endormi !

Onze heures. J'ai faim ! On m'apporte un dîner maison copieux. Feuilleté d'épinards, salade, etc. C'est délicieux ! Lorsque les sages-femmes quittent le Centre, c'est Anne, une assistante natale, qui prend la relève. Elle arrive habituellement vers la fin de l'accouchement et se charge des soins à donner à la mère. C'est une personne très douce. Nous la connaissions déjà, Océanne et moi, et cela datait d'avant ma grossesse. C'est agréable de la revoir. Elle restera avec nous jusqu'à notre départ (le séjour à la maison de naissance ne dépasse habituellement pas dix-huit ou vingt-quatre heures).

Il est quatre heures et nous sommes prêts à partir. Anne prend quelques photos de notre nouvelle famille, dont une sera affichée dans le hall d'entrée avec les autres photos des familles qui viennent d'accoucher. Exposées pendant un mois environ, elles seront ensuite classées dans l'album du Centre de maternité. Un album, des albums même, qui sont beaux et réconfortants à feuilleter.

Nous quittons le Centre, le sourire aux lèvres, heureux et émus par ce que nous venons de vivre. À l'entrée, un grand cahier sert à recueillir les impressions des couples et des familles. Nous avons oublié d'y noter nos réflexions, nous avions tellement l'esprit ailleurs, et je flottais dans la béatitude.

Le retour à la maison se passe bien. Quelques complications surviennent pour moi peu de jours plus tard, caractérisées par des élancements au niveau des os du pubis. Tout rentrera dans l'ordre grâce aux bons conseils d'Élisabeth. Cette femme est sage, clairvoyante et toujours à l'écoute des autres.

Nous retournerons au Centre quatre semaines après l'accouchement pour l'examen du bébé, et après six semaines pour l'examen de la maman.

C'est ainsi que se termine ma belle aventure au Centre de maternité. J'en garde un excellent souvenir. C'est un endroit merveilleux pour donner naissance à un enfant.

Commentaires

Par l'aspect humain de leur savoir-faire, les sages-femmes m'ont donné la chance de percevoir et de vivre le côté divin de cet acte qui consiste à donner la VIE.

Avec leur aide, j'ai pu vivre la naissance et la période d'après-naissance dans la douceur, le calme, la simplicité. L'absence de va-et-vient, de bruits, témoigne de leur respect pour la femme qui accouche ou qui vient d'accoucher, ainsi d'ailleurs que pour le couple. Elles apparaissent à mes yeux comme un élément essentiel permettant de vivre pleinement un accouchement. J'ai tellement confiance en elles!

Elles nous font sentir que l'accouchement est un acte qui nous appartient.

L'exercice de la profession de sage-femme selon les lois en application dans la province de Québec (extrait)

2.6 La pratique des sages-femmes

Le projet de loi sur les sages-femmes a été déposé pour être adopté à la session du printemps 1999. Cette loi devrait entrer en vigueur à l'automne 1999. Essentiellement, on y prévoit la création d'un ordre professionnel à exercice exclusif pour les sages-femmes et l'intégration de ces dernières au système de Santé et de Services sociaux.

Une période de transition est prévue jusqu'au 31 mars 2000, pour permettre à l'ordre professionnel de mettre en place toutes les mesures nécessaires à l'exercice de la profession de sage-femme et aux partenaires du réseau d'adapter le modèle de maison de naissance et l'offre des services de sages-femmes à ce nouveau cadre légal.

La pratique des sages-femmes devra être intégrée aux services de périnatalité. Les sages-femmes sont reconnues comme des professionnelles autonomes et devront conclure des contrats de services avec les CLSC. C'est à la régie régionale que reviendra la responsabilité de désigner les CLSC pouvant offrir ces services.

Comme point de départ, la Loi sur les sages-femmes reconnaîtra les CLSC ayant offert des services à l'intérieur des projets-pilotes en tant qu'établissement désigné par la régie régionale.

Les accouchements pourront continuer en maison de naissance. Pour ce qui est du milieu hospitalier, le projet de loi prévoit que des ententes définissant les collaborations pourront être signées entre les CLSC et les centres hospitaliers. L'accouchement à domicile, quant à lui, ne sera disponible que lorsque le Règlement entourant les conditions d'exercice à domicile aura été approuvé par le gouvernement.

Le programme de formation sage-femme devrait débuter en septembre 1999, à l'Université du Québec à Trois-Rivières ; il sera d'une durée de 4 ans au niveau du premier cycle universitaire.

Source : *Rapport annuel 1998-1999 du*
Ministère de la Santé et des Services sociaux

Je ne me suis jamais sentie dépossédée de ce que je vivais pendant l'accouchement et c'est là un sentiment extraordinairement précieux pour la mère, qui facilite le contact avec son nouveau bébé. Les sages-femmes m'ont offert l'environnement favorable pour le réaliser et je les en remercie avec gratitude. Je ne peux que faire l'éloge de leur savoir-faire et de leur savoir-être. Elles font le plus beau métier du monde. Merci à elles !

Être père de nos jours

Au cours des premières semaines et des quelques mois qui suivent la naissance du bébé, vous consacrerez le plus clair de votre temps à aider et réconforter votre compagne. Mais petit à petit, vous reprendrez une vie plus régulière : au moins l'un de vous deux retournera au travail, et il vous arrivera de vouloir passer une soirée au cinéma ou de faire visite à un couple d'amis. Progressivement, vous vous rendrez mieux compte de ce que représente le rôle de père et à quel degré vous désirez vous insérer dans la vie de l'enfant. Voulez-vous être celui vers qui l'enfant se précipite s'il a un bobo ou s'il est triste ? Connaîtrez-vous la pointure de ses chaussures ou saurez-vous s'il préfère, qu'il soit fille ou garçon, les pantalons à fermeture éclair ou à ceinture élastique ? Prendrez-vous les rendez-vous chez le médecin ou ailleurs, ou bien préférerez-vous abandonner tous ces soucis à votre compagne ?

D'une manière ou d'une autre, vous vous apercevrez rapidement que le rôle de père en Amérique du Nord, et particulièrement de père digne de ce nom, n'est pas une sinécure. Si les responsabilités de la fonction sont importantes et complexes, parfois frustrantes, les obstacles les plus sérieux que vous aurez à franchir, et auxquels, probablement, vous ne vous attendez pas, seront d'ordre sociétal.

Ce n'est que récemment que les hommes et les femmes se sont senti le courage de critiquer le rôle conventionnel tenu par le père au sein de la famille. Tout récemment aussi, la société a reconnu qu'un père au comportement distant n'est pas un père idéal. Mais dans la foulée de la liberté nouvellement acquise qui permet d'adresser des reproches aux pères négligents et absents de naguère, les pères d'aujourd'hui se retrouvent victimes des anciens stéréotypes.

Selon l'un de ces stéréotypes, les hommes n'ont pas assumé de rôle actif dans la vie familiale parce qu'ils ne l'ont pas voulu. Mais est-ce encore vrai pour les pères actuels? On peut en douter. Bon nombre d'entre nous savons que les normes traditionnelles du succès n'ont pas toujours atteint leur but et que nous devons au contraire être largement présents dans la vie de nos enfants, tant sur le plan physique que moral. Le problème, c'est que la société, et j'entends par là nous tous, non seulement ne nous soutient pas dans cet effort mais s'emploie plutôt à nous en détourner. À dire vrai, nous ne plaçons pas la paternité au même niveau que la maternité. Les termes mêmes ont différentes acceptions: maternité est associée à affection, éducation et amour, tandis que paternité évoque la notion de simple relation biologique. En conséquence, les hommes sont rarement acceptés dans un rôle qui n'est pas celui qu'on s'attend à leur voir remplir.

L'importance attribuée au rôle traditionnel tire ses racines d'un passé plus lointain que vous ne pouvez l'imaginer. Avant même qu'ils puissent marcher, les enfants des deux sexes sont imprégnés du message que les pères sont, par nature, superflus. Il suffit de songer aux livres de contes que nos parents nous lisaient et que nous relirons probablement à nos enfants. Avez-vous déjà remarqué que le père est inexistant dans *Blanche-Neige et les Sept Nains, Peau d'Âne, Le Petit Chaperon rouge, La Barbe bleue, Le Chat botté ou La Petite Sirène* ?

Dans la grande majorité des livres pour enfants, une femme est souvent la seule parente tandis que l'homme, si jamais il apparaît, rentre du travail très tard et fait sauter l'enfant sur ses genoux pendant cinq minutes avant de le mettre au lit. Mon libraire possède un catalogue de livres pour enfants, tous sélectionnés parce qu'ils présentent des images positives de personnages féminins, héroïnes ou mères. Comme père qui partage à égalité la responsabilité de l'éducation de ses enfants, je trouve extrêmement décevant que cette librairie n'ait pas de catalogue (ou une simple liste de quelques livres) proposant comme modèles des rôles masculins positifs.

Ces dernières années s'est développé un mouvement en faveur d'une description plus précise des rôles joués par les femmes et les minorités dans l'histoire et la culture. La plupart des nouveaux livres pour enfants font notamment un effort pour sortir les personnages féminins de la cuisine ou les écarter des tables à langer et leur conférer des positions et des responsabilités professionnelles. Mais un groupe, celui des pères, continue à être présenté selon le schéma stéréotypé du passé.

L'un des livres favoris de ma fille aînée est *Mother Goose and the Sly Fox*, récrit par Chris Conover. C'est l'histoire d'une mère oie célibataire et de ses sept oisons qui est confrontée au rusé renard (et, naturellement, se joue de lui). Le renard, un père célibataire négligent et probablement sans emploi, vit avec ses renardeaux sales et affamés dans une tanière crasseuse jonchée d'os des repas précédents. La mère oie, qui a une entreprise florissante de dentelles, trouve encore le temps de servir à ses oisons une soupe maison dans des coupes de porcelaine. L'histoire est amusante et les illustrations merveilleuses, mais le message sous-jacent laisse entendre que les femmes prennent mieux soin de leur progéniture que les hommes, qui n'ont d'autres choses à faire que chasser et tuer des innocentes oies respectueuses de la loi.

Vous trouverez de semblables images négatives de pères dans la plupart des classiques pour enfants. Peut-être que, dans un lointain avenir, quelqu'un se plaindra de la tendance colonialiste de *Babar* (vous connaissez sans doute ce petit habitant de la jungle qui a trouvé le bonheur dans une grande ville et qui rapporte la civilisation et les beaux vêtements dans son petit village perdu). Mais vous n'entendrez jamais personne demander pourquoi Babar est de nature un orphelin dont la mère a été tuée par le méchant chasseur. Pourquoi ne peut-il être réconforté que par une autre personne de sexe féminin ? Pourquoi les mères d'Arthur et de Céleste viennent-elles seules à la ville pour chercher leurs enfants ? Est-ce que les pères ne s'en soucient pas ? Ces enfants ont-ils seulement un père ?

Si les livres étaient le seul endroit où les enfants puissent trouver des messages sur l'état dans lequel le monde est censé se trouver, il serait encore possible d'en rectifier les messages négatifs, mais tôt ou tard, la plupart des enfants se trouveront face au grand ou au petit écran, et là aussi, l'image la plus probable du père qu'ils auront l'occasion de voir, si toutefois un père y est représenté, sera presque identique à celle que l'on perpétue dans la presse écrite : un être parfaitement inutile, la plupart du temps.

L'un des exemples types de l'image négative du père, et de l'effet que celle-ci peut avoir sur les enfants, se trouve dans le film *Bambi*. Bien que datant d'un demi-siècle, c'est encore l'un des dessins animés pour enfants les plus appréciés de tous les temps. Dans la première partie du film, Bambi jouit d'une étroite et chaude relation avec sa mère. Ce n'est pas avant le milieu du film que nous apprenons qu'il a un père à l'occasion d'une apparition fugace de celui-ci, sévère et autoritaire, dans la vie du jeune faon. À la fin du film, Bambi lui-même devient père et, à l'exemple du seul modèle qui lui a été donné de connaître, assume à distance ses responsabilités paternelles.

Si captivant que soit le grand écran aux yeux des enfants, le porteur de messages de loin le plus puissant concernant l'image défavorable du père est la télévision. En Amérique du Nord, le jeune enfant passe en moyenne huit heures par jour devant le petit écran, c'est-à-dire beaucoup plus de temps qu'il n'en consacre à la lecture. Il est donc évident que la notion négative du père que les enfants – et les adultes – captent via la télévision est potentiellement plus destructrice que les images suscitées par la lecture.

D'une manière générale, les hommes ne sont pas favorisés lorsqu'ils sont représentés à la télévision. Dans une recherche sur un millier d'annonces publicitaires prises au hasard à la télévision, Frédéric Hayward, directeur de *Men's Rights, Inc.*, de Sacramento, en Californie, a constaté que la totalité des hommes qui participaient en couples à ces spots publicitaires tenaient le rôle du nigaud. Aucune exception... tous ces ignorants étaient des hommes. En ce qui regarde les pères, c'est encore pire. Non seulement on les dépeint comme moins délurés que leur compagne et que leurs enfants, mais s'ils font partie de la famille typique, les hommes sont censés être totalement inconscients des besoins de leur progéniture. Apparemment, les mères seules sont à la hauteur. Voici quelques exemples:

- Dans un spot publicitaire, un père et sa fille s'extasient devant leur portion de céréales. «Quelqu'un doit nous aimer vraiment» dit le père. «Qui crois-tu que c'est? Maman!» piaille la fille.
- Autre déjeuner, autres céréales: «Testé par les enfants, approuvé par la mère.»
- À l'heure du midi, les publicistes insistent: «Les mères les plus difficiles choisissent les pâtes Machinchouette.»
- Une publicité, dans un magazine de large audience, triomphalement annonce: «Il a fallu Sysith et un million de mamans pour concevoir une chaise d'enfant comme celle-là.»
- Dans une réclame pour une marque de dentifrice, un père et son enfant discutent de la question de savoir si, dans une pâte dentifrice, le plus important est le fluor ou la saveur. Ils auraient discuté jusqu'au soir si la mère n'était pas intervenue en disant: «Il faut les deux.»
- Un certain calmant de la toux est «recommandé par le Dr Maman».

Dans les émissions encadrées par ces publicités, les pères n'y sont pas présentés beaucoup plus favorablement. Bien qu'il y ait quelques exceptions, la plupart des pères de comédie sont des hommes un peu bouffons, facilement bernés, et dont la contribution essentielle à la vie familiale est l'argent (pensons par exemple aux «Simpsons» ou à «Married – With Children»).

Bien qu'on affirme que les mères se chargent de la plupart des courses et de l'alimentation, le message subtil mais important suggère que les pères se comportent tout simplement comme des irresponsables. Ils ne nourrissent pas leurs enfants, ne les habillent pas et ne seront pas là pour les soigner lorsqu'ils seront malades. Les mères sont les meilleures des créatures et les pères jouent, au plus, un rôle secondaire dans la maisonnée.

Il semble que nous confondions le manque de pratique des hommes avec leur manque d'intérêt ou d'attention en ce qui regarde l'éducation des enfants. Bien des pères actuels qui, comme Bambi, ont été élevés dans des familles traditionnelles manquent simplement de références, car personne ne leur a enseigné le savoir-faire qui leur aurait été nécessaire aujourd'hui.

Cela évoque une contradiction intéressante. Bien des personnes qui se disent d'esprit ouvert n'hésitent pas à accuser les pressions économico-sociales à propos de la criminalité et de la drogue. Mais s'il s'agit de la prétendue indifférence des pères envers leurs enfants, personne ne pense en rejeter le blâme sur la société. Au lieu de cela, nous entendons des personnalités aussi éminentes que Barbara Jordan, ex-membre du Congrès américain et conseillère du gouverneur du Texas, soutenir que « les femmes ont une capacité de compréhension et une sensibilité que l'homme n'a pas… qu'il n'est simplement pas capable de posséder. » Lorsque diverses associations de protection du droit des pères ont protesté au sujet de ces déclarations, Barbara Jordan a défendu son point de vue en arguant qu'il était fondé sur des faits observables. Imaginez le tollé si un homme avait osé faire une déclaration du même genre à propos des femmes. Et si cette personne avait été un Afro-Américain, ou encore n'avait pas été un homme...

Considérer l'homme comme un être potentiellement nuisible est peut-être la meilleure façon de décourager l'engagement des hommes auprès des enfants. Un article que j'ai écrit pour le *New York Times Magazine* m'a donné l'occasion de relater un incident qui s'est passé récemment. Je poussais notre fille aînée sur une balançoire dans l'un de nos parcs préférés lorsque j'ai entendu une petite fille hurler. Elle était à quelques mètres de moi, chancelant sur une plate-forme étroite au sommet d'un long toboggan escarpé. Au moment où j'ai levé les yeux, je l'ai vu lâcher prise, et sur le point de tomber. Sans réfléchir, j'ai sauté par-dessus le toboggan, j'ai saisi la petite et je l'ai déposée sur le sable. M'étant agenouillé près d'elle, je me proposais de lui demander comment elle se sentait lorsqu'une femme l'a prise et l'a emmenée brusquement en me lançant un regard de profond mépris. « Ne t'avais-je pas défendu de parler à un étranger dans le parc ? » a-t-elle jeté à la petite en me regardant par-dessus son épaule. « T'a-t-il fait mal ? » lança-t-elle encore.

Je me souviens d'être resté quelques minutes abasourdi, déconcerté, tandis que la femme bouclait la petite dans la voiture et embrayait. Je me suis demandé à quoi elle avait dû penser. Est-ce qu'elle ne m'avait pas vu jouer avec une petite fille heureuse qui m'appelait Papa ? C'était un beau jour d'été, sans un seul nuage. Lorsque j'ai regardé autour de moi, j'ai vu que j'étais le seul homme dans ce parc. J'ai compris : moi, le père, j'étais invisible pour cette dame. Ce qui était apparu à son esprit était ce qui y était le plus profondément ancré : l'image stéréotypée d'un homme dans un parc, menaçant et solitaire.

D'une certaine façon, je peux comprendre ces réactions de peur instinctive. Si, en me retournant, je voyais un étranger agenouillé près de ma fille, j'aurais immédiatement imaginé la pire des hypothèses. Ainsi, lorsque nous interrogeons, ma femme et moi, des candidats à la garde d'enfants pour nos filles, c'est moi qui suis le plus soupçonneux face à un candidat masculin.

Ma conception de ces craintes est moins basée sur la façon *réelle* dont les hommes se comportent vis-à-vis des enfants que sur la façon dont nous avons appris à voir les hommes. Je me rappelle encore les films sur la sécurité qu'on nous présentait en troisième ou en quatrième année, des images effrayantes d'hommes sinistres et moustachus (c'étaient toujours des hommes) cachés derrière les arbres du parc et essayant de nous entraîner vers leur voiture. Je ne dis pas qu'il n'y a pas certains hommes désaxés qui pourraient faire d'horribles choses aux enfants. Les hommes sont responsables du plus grand nombre d'agressions sexuelles qui elles-mêmes constituent onze pour cent de tous les cas d'agression et de négligence. Cependant, il y a aussi beaucoup de femmes dépravées. Il y a même plus de femmes que d'hommes qui assassinent des enfants ou qui commettent des agressions physiques et psychologiques sur les enfants.

Cela ne signifie pas que les hommes soient toujours de malheureuses victimes, ni que tous les obstacles qu'affrontent les pères soient la faute de quelqu'un d'autre. En réalité, quelques-unes des barrières les plus importantes ont été érigées par les hommes eux-mêmes. Dans le monde du travail, par exemple, là où l'homme occupe encore la plupart des positions dominantes, ceux qui essayent d'accumuler du temps libre pour s'occuper de leur famille, en utilisant le congé parental ou en réduisant les heures de travail, constatent que leur employeur a tendance à exercer des pressions sur eux, ou les qualifient de fainéants ou met en doute leur sérieux au travail (voir les pages 113 à 116).

En dépit des nombreux obstacles, certains d'entre nous ont mis leur carrière et leurs finances en péril pour tenter de briser les barrières invisibles qui les retenaient au travail, loin de leurs familles. Pourtant, dans bien des cas, lorsqu'ils arrivent chez eux, ils se heurtent à d'autres difficultés, suscitées cette fois par nulle autre que leur propre compagne.

Voici un scénario qui n'est que trop fréquent. J'étais récemment en visite chez des amis, et leur jeune fils de six mois était assez turbulent. Colin, qui tenait le bébé sur les genoux, se mit à le bercer. Soudain, sa femme Marina apparut et lui enleva le bébé. « Laisse-le-moi, Chéri, je crois que je sais ce dont il a besoin » dit-elle.

J'ai assisté maintes fois à des scènes de ce genre, non seulement chez Colin et Marina, mais cette fois, je me posai des questions. Est-ce que Marina savait réellement ce dont le bébé avait besoin ? Si oui, le savait-elle mieux que Colin ?

Selon des recherches approfondies, les réponses à ces deux questions sont respectivement « probablement » et « non ». Dans diverses études, le chercheur Ross Parke a montré que les pères, contrairement à l'opinion courante, sont tout aussi sensibles et répondent tout aussi justement aux besoins de leurs enfants que les mères. Ils sentent lorsque quelque chose ne va pas et savent appliquer les dispositions utiles. Pourquoi donc Colin, un garçon qui, je le sais, veut prendre une part active dans l'éducation de ses enfants, a-t-il simplement passé le bébé en pleurs à sa femme ? Si l'on exclut de l'équation la simple paresse, la réponse est assez difficile à donner. Une des hypothèses pourrait être que la plupart d'entre nous, hommes comme femmes, supposons que les femmes s'y entendent mieux que les hommes en matière d'éducation.

D'une certaine manière, ce pourrait être vrai. Les femmes consacrent en moyenne plus de temps que les hommes à s'occuper des enfants et leur compétence peut être un peu plus étendue que celle des hommes. Mais l'art d'être parent n'est pas inné, il ne s'apprend que par l'expérience et la pratique. Aucun jeune parent, mère ou père, ne sait d'instinct comment calmer un bébé qui souffre de coliques ou comment éviter l'érythème fessier. À la naissance de notre aînée, c'est un infirmier qui a initié ma femme à l'art de donner le sein.

Les stéréotypes subsistent malgré tout et, dans une large mesure, c'est la femme qui gère en quantité et en qualité le temps que l'homme passe avec ses enfants. Quoique la plupart des mères souhaitent voir les pères jouer un rôle actif dans la vie de leur progéniture, ce rôle ne devrait pas être « tout à fait » aussi important que le leur, selon les conclusions d'une enquête américaine menée à l'échelle nationale auprès des mères et publiée sous le titre de *The Motherhood Report: How Women Feel about Beeing Mothers*. De fait, les chercheurs ont découvert qu'environ deux femmes sur trois étaient réticentes à l'idée d'une possible participation égalitaire dans l'éducation des enfants. Peut-être cherchent-elles subtilement à étouffer l'enthousiasme masculin afin de sauvegarder leurs prérogatives de principales nourricières et éducatrices.

Tous ces obstacles sont-ils trop nombreux pour être franchis? Il y en a beaucoup, c'est sûr, et ils sont sans doute bien enracinés, mais si vous voulez y consacrer temps et effort, vous serez capable d'établir et de garder une relation efficace et étroite avec vos enfants.

À ce sujet, voici quelques conseils :

- **Acquérez de l'expérience.**

Ne croyez pas que votre compagne en connaît par magie plus que vous. Ce qu'elle sait de l'éducation des enfants, elle l'a appris par la pratique, comme tout le reste. C'est de la même façon que vous vous améliorerez. Des études ont révélé que le manque d'occasions peut être l'un des plus grands obstacles aux marques d'affection d'un père pour ses enfants. Comme on l'a vu dans le chapitre précédent, s'ils peuvent tenir leur enfant dans les bras, les pères leur portent au moins autant d'affection que leur compagne. Ils les dorlotent, les admirent, les bercent et les consolent.

- **Osez agir.**

Si vous manquez d'initiative, vous ne serez jamais en mesure d'assumer les responsabilités que vous cherchez à prendre – et que vous méritez – dans l'éducation de votre enfant. J'ai vu bien souvent des femmes prendre des bras de leur mari un bébé en pleurs ou à la couche souillée. En revanche, je n'ai jamais vu d'homme dire : « Merci, Chérie, je peux me débrouiller seul. » Si vous vous trouviez dans une telle situation, hasardez un « je pense que je pourrai m'en sortir » ou « merci, je crois qu'un peu de pratique me fera du bien ». Rien ne s'oppose à ce que vous lui demandiez un conseil ou deux, l'un et l'autre vous avez des compétences que vous pouvez partager. Mais demandez-lui de vous conseiller plutôt que de le faire à votre place.

- **Ne minimisez pas ce que vous voulez faire avec les enfants.**

Nous le savons, les hommes et les femmes ont, vis-à-vis

des enfants, des façons différentes de se comporter, les unes et les autres étant également importantes pour le développement des enfants eux-mêmes. Ne croyez donc pas que lutter, jouer au « monstre » ou autres soi-disant jeux de gamins soit plus ou moins important que les « jeux de filles » que votre compagne apprendra.

- **Participez aux prises de décisions relatives aux enfants.**
Partagez avec votre compagne des responsabilités comme l'horaire et le menu des repas, les courses et les achats de vêtements, la cuisine, la visite des petits à la bibliothèque ou dans une librairie, la rencontre des parents de leurs amis et la planification des jeux. Négliger ces activités donnerait l'impression que vous n'accordez pas d'importance au monde des enfants ou que vous vous désintéressez d'eux. En les partageant avec votre compagne, celle-ci se sentira à l'aise et en confiance pour vous associer aussi à la responsabilité de l'éducation. Pensez à vous ménager quelques moments de « grâce » en compagnie des enfants. Leur transport à travers la ville – les rendez-vous chez le médecin, les cours de danse ou l'entraînement au hockey – ne devrait pas être la seule occasion de vous réunir.

- **Entretenez la communication entre vous.**
Parlez à votre compagne. Si vous voulez accroître votre participation à l'éducation des enfants, confiez-lui votre désir. Si elle paraît d'abord hésitante, ne le prenez pas en mauvaise part. Les hommes ne sont pas les seuls à avoir été négligés par la société en ce qui concerne les relations humaines. Beaucoup de femmes ont été élevées dans la conviction que si elles ne jouaient pas le rôle primordial dans l'éducation des enfants (même si elles ont un métier), elles failliraient à leur devoir de mère. Si votre compagne travaille à l'extérieur, peut-être

pourriez-vous lui rappeler les paroles de Karen DeCrow, ex-présidente de la *National Organization for Women* : « Tant que les hommes ne seront pas reconnus dans leur rôle de parent, la charge d'élever les enfants reposera essentiellement sur les femmes et gênera leurs efforts pour parvenir à l'égalité des sexes au travail. »

- **Si vous le pouvez, aidez d'autres hommes.**
  Toutes choses étant égales, essayez de prendre de temps en temps un homme comme garde d'enfants. Demandez à un ami de loger chez vous, plutôt que de requérir ce service auprès des amies habituelles, lorsque votre femme et vous souhaitez passer une nuit en amoureux. Si vous vous sentez prêt à faire une tentative en ce sens, faites appel au fils adolescent de l'un de vos copains. Ne pas se fier aux hommes et aux garçons tend à confirmer ceux-ci dans l'idée qu'ils ne sont pas dignes de confiance et les handicapera dans leur rôle de parents alors qu'ils devront se charger des responsabilités auxquelles eux-mêmes – et leur compagne – aspirent.

- **Faites de votre compagne votre agent de publicité.**
  Pamela Jordan soutient que les hommes ne sont pas souvent considérés comme pères de plein droit ni par leur compagne ni par leur entourage. On a tendance à leur attribuer plutôt un rôle d'adjoint à leur compagne ou de simple pourvoyeur. Y a-t-il un remède à cela ? La mère seule peut contrer cette exclusion du père par l'entourage en incluant activement celui-ci dans les expériences de grossesse et dans les tâches d'éducation des enfants et en le reconnaissant ouvertement comme un acteur de premier plan.

- **Cherchez de l'aide.**
  Longtemps avant la naissance de votre bébé, vous aurez

tous deux été informés de l'existence d'associations de jeunes mères. Vous vous apercevrez rapidement qu'il n'y a que peu ou pas d'associations de jeunes pères. Si, par chance, vous en trouviez une, elle serait sans doute orientée vers le type de pères qui ont un contact avec leurs enfants à peine cinq minutes avant l'heure du coucher.

Arrivé à la fin de ce livre, vous savez que les hommes s'interrogent tout autant que leurs compagnes au sujet de la grossesse, de la naissance et de l'éducation des enfants. Si donc vous ne trouvez pas de groupe de soutien pour nouveaux pères dans votre voisinage, pourquoi ne pas vous poser en « précurseur » dans ce domaine et en fonder un vous-même ?

Que faire dans ce but ?

- Réunissez à intervalles réguliers quelques amis qui ont déjà des enfants. Parlez-vous au téléphone, sortez pour des randonnées avec les enfants, retrouvez-vous au parc pour un pique-nique à l'heure de midi.

- Encouragez des amis en passe de devenir pères et de nouveaux pères à se joindre à vous. Incitez-les à prendre eux-mêmes contact avec d'autres amis qui ont déjà ou qui vont avoir des enfants.

- Posez des annonces en ce sens dans les boutiques pour enfants et les magasins de jouets du voisinage.

- Afin de faire connaître votre groupe, prenez contact avec le gynécologue-obstétricien de votre compagne, avec le pédiatre et avec le personnel de l'hôpital ou de la maternité.

- Cherchez du soutien publicitaire auprès des associations de jeunes et de certains organismes de planification familiale.

- Prenez contact avec des coordinatrices de ligues de jeunes mères, elles pourraient aussi être intéressées par des groupements parallèles de pères.

Qui sait ? si vous faites une bonne publicité en faveur de votre nouveau cercle, vous pourriez même en faire une affaire florissante. Nombreux, en effet, sont ceux qui font des affaires d'or dans le secteur des groupes de mères.

Le mot de la fin

Dans cet ouvrage, nous avons mis l'accent sur l'intérêt, pour vous et pour vos enfants, d'être un père actif et engagé, et sur le fait que la paternité commence bien longtemps avant la naissance du premier enfant. Nous n'avons cependant pas abordé les bienfaits que le rôle de père à part entière peut apporter dans vos relations avec votre compagne.

Le sociologue Pepper Schwartz affirme que les couples qui travaillaient ensemble à élever leurs enfants semblent créer entre eux une relation plus intime et plus stable. Qu'ils réalisent bien plus ensemble. Qu'ils ont de plus longs échanges au téléphone et passent ensemble plus de temps à s'entretenir de leurs enfants. Les épouses, dans cette étude, ont déclaré qu'élever les enfants ensemble créait une relation entre adultes plus étroite. D'autres recherches confirment les conclusions de Schwartz. Par exemple, une étude de 1993 a montré que les pères qui s'étaient activement engagés dans l'éducation de leurs enfants comptaient un taux de divorce beaucoup moins élevé.

C'est donc dans l'intérêt de tous de faire tout son possible pour devenir un père responsable. Ce n'est pas facile, mais la récompense, pour vous, pour vos enfants et pour votre compagne, est inappréciable.

Bibliographie

Christiane OLIVIER, *Petit livre à l'usage des pères*, Paris, Fayard, 1999.

Jacques BROUÉ et Gilles RONDEAU, *Père à part entière*, Montréal, Éd. Saint-Martin, 1997.

CASTELAIN-MEUNIER, *Cramponnez-vous, les pères*, Paris, Albin Michel, 1992.

Christine COLONNA-CESARI, *La grossesse du père*, Paris, Éd. Chiron, 1990.

Bébé arrive, Sainte-Foy (Québec), Les Publications du Québec, 2000. (Gratuit)

Points de contact

Site Internet du gouvernement du Québec
Ce site donne accès aux sites des ministères et des
organismes.

Commission des normes du travail
Renseignements sur la loi et aide conseil :
Sans frais : 1-800-265 1414

Conseil de la Famille et de l'Enfance
Ministère de la Famille et de l'Enfance
Sans frais : 1-800-363 0310

Communication-Québec
Sans frais : 1-800-363 1363

Références Canada
Sans frais : 1-800-622 6232

Ministère du Revenu du Québec
Sans frais : 1-800-361 3795

Agence des Douanes et du Revenu du Canada
Sans frais : 1-800-665 0354

Ministère de la Santé et des Services sociaux

Index

Marquis imprimeur inc.

Québec, Canada
2008